W9-CNM-581

Pour guider ma recherche

1

Quel est le problème ou quelle est la question ?

- J'y réfléchis.
- Je me rappelle ce que je sais déjà.

> Au Québec, à la fin du 19ᵉ siècle, quels sont les changements entraînés dans les habitudes de consommation de la population par l'arrivée massive de personnes dans les villes ?

2

Qu'est-ce que je veux apprendre ?

- J'énumère les divers aspects du problème ou de la question.
- Je sélectionne les plus intéressants.

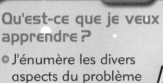

alimentation
vêtements
logement
loisirs

4

Comment traiter les informations que j'ai trouvées ?

- Je les classe.
- Je vérifie celles qui se contredisent.
- J'élimine les informations inutiles.

Produits de base	Produits de luxe
Pain	Fruits
Lait	Pâtisseries
Pommes de terre	Chocolat
Jambon	

3

Comment répondre à mes questions ?

- Je fais un plan de recherche.
- Je trouve des sources de documentation.

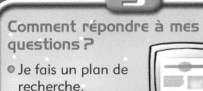

5

Comment communiquer mes découvertes ?

- Je fais ressortir les points essentiels.
- J'emploie des supports visuels.
- Je communique mes sources d'information.

MAGASIN GÉNÉRAL

Douzaine d'œufs	6¢
Pain	10¢
Pinte de lait	10¢
Orange	20¢

6

Comment améliorer mes prochaines recherches ?

- Je fais le point sur ce que j'ai appris.
- J'évalue ma démarche.
- Je me donne des défis pour la prochaine recherche.

TRANSDISCIPLINAIRE 3ᴱ CYCLE • MANUEL D'UNIVERS SOCIAL

FRANCE LORD
DANIEL LYTWYNUK
JOËLLE MORRISSETTE
ISABELLE PÉLADEAU

UNIVERS SOCIAL

MODULO

Nous reconnaissons l'aide financière du gouvernement du Canada par l'entremise du Programme d'Aide au Développement de l'Industrie de l'Édition (PADIÉ) pour nos activités d'édition.

Gouvernement du Québec – Programme de crédit d'impôt pour l'édition de livres – Gestion SODEC.

Chargée de projet : Pascale Couture
Direction artistique et conception graphique : Lise Marceau, Nathalie Ménard
Infographie : Julie Bruneau, Dominique Chabot, Marguerite Gouin, Suzanne L'Heureux, Lise Marceau, Nathalie Ménard
Typographie : Carole Deslandes
Maquette/couverture : Marguerite Gouin, Nathalie Ménard
Recherche : Chantal Gauthier
Recherche (photos) : Julie Saindon, Geneviève Simard
Révision : Marie-Josée Guy (révision linguistique); Georges Massé (révision scientifique)
Correction d'épreuves : Monique Tanguay
Mascotte : Serge Rousseau

Illustrations : Julie Bruneau : p. 48, 52, 126, 148, 166, 169; Monique Chaussé : p. 35, 52, 85, 119, 141, 151, 178; Jacques Lamontagne : p. 13; Daniela Zekina : p. 32, 51, 59, 81, 131, 133, 179, 194, 195.

Photos : Agence Stock Photo : p. 64 (Jean-François Leblanc); Archives de l'Association canadienne d'histoire ferroviaire : p. 49; Archives de l'Ontario : p. 84 (11778-4, S 16944, bûcherons); Archives de la Colombie-Britannique : p. 130 (NA-05998, épinette), 133 (B-03593), 136 (E-02626, en haut), (A-02069, en bas), 137 (A-07086), 138 (I-51975, en haut), 139 (E-02996, en haut), (B-01482, en bas), 140 (A-07993); Archives de la FTQ : p. 108 (en haut); Archives du Chemin de fer Canadien Pacifique : p. 141 (BR.110), 143 (NS.12576); Archives du Manitoba : p. 89, 117 (Boundary Commission Collection, convoi), 122 (N-5776, à gauche et N-10338, à droite), 124 (N-978, en haut); Archives nationales du Canada : p. 3 (C-002644), 4 (C-001090, en haut), 12 (C-002001, en haut), 12 (C-040109, au milieu), 15 (C-013959), 19 (C-001348, en haut), 20 (C-068719), 33 (C-006032), 36 (C-103003, en bas), 38 (C-073395, en haut), 44 (C-073702), 48 (C-002367), 77 (C-010119), 80 (C-006859), 83 (PA-011677), 85 (PA-137211), 116 (C-085854, en bas), 117 (PA-10254, immigrants), 119 (PA-31489), 124 (PA-38662), 125 (C-038667), 134 (C-014118), 176 (PA-129265); Archives nationales du Québec à Montréal : p. 154 (E6, S7, p790728); Archives nationales du Québec à Québec : p. 4 (P600, S5, PGC49, en bas), 10 (P600, S5, PGN6, Richard Short/A. Bennoist), 31 (P600-6/N-1073-86), 46 (N874.268), 83 (collection Musée des Grondines), 95 (N77-5-11-10, en haut), 156 (E6, S7, P6640652), 172 (P773007-11, en haut); Archives provinciales de l'Alberta : p. 115 (H549, en haut), 116 (Missionary Oblates, Grandin Archives, OB.699), 123 (Sam Wing); Assemblée nationale du Québec : p. 160; Felix Atencio-Gonzalez : p. 194, 196, 200; Francis Back : p. 18; Bibliothèque nationale du Québec : p. 17, 38 (en bas), 84 (marché), 95, 97 (en haut), 104 (en haut); François Brault : p. 59, 62; canadianheritage.org : p. 12 (# 21771, ANC C-20587, en bas), 56 (# 23231, W. S. Hatton/ANC C-040148), 75 (# 20793, ANC PA-010150), 158 (# 21069, ANC PA-129677); CCDMD : p. 152, 153, 163, 164, 165, 167, 168, 170 (à droite), 174, 175, 177, 178; Centre d'histoire de Montréal : p. 94 (fonds Dandurand); Alain Chagnon : p. 108 (en bas); Cinémathèque : p. 100; Corporation de la Voie maritime : p. 65 (Jean-Guy); Dartford Museum : p. 90 (en haut); Stéphane Gauthier/ TravNetMédia : p. 197 (en bas); Glenbow Archives : p. 110 (NA-2878-16, en haut à gauche), 114 (NA-1406-188), 115 (NA-1905-20, en bas), 118 (NA-1758-13, en bas), 119 (NA-303-191, au milieu), 120 (NA-2084-20), 121 (NA-3596-127), 138 (NA-303-191, en bas); GM : p. 170; Groupe Jean Coutu : p. 173; guntermarx-stockphotos.com : p. 132; HBCA : p. 42 (P-378/T8327), 87 (1987/251/N16); Imperial War Museum : p. 155 (A 23938); La Cité de l'Or/CVMB : p. 101 (glacière); La Presse : p. 159 (en haut); Le Devoir : p. 184 (photographe Jacques Nadeau); Le Soleil : p. 80; Le Village Québécois d'Antan inc. : p. 50; Magmaphoto.com : p. 206 (BE085667, Bettmann/CORBIS), 207 (AL019844, Paul Almasy/CORBIS), 209 (AB005324, Paul Velasco, Gallo Images/ CORBIS), 210 (DWF15-180676, Patrick Robert/CORBIS); MAPAQ/Magella Chouinard : p. 41 (fascine); Megapress Images : p. 66, 207 (M104366, en haut); Robert Mesher : p. 197, 198; Gordon Miller : p. 19 (illustration, en bas), 60; Musée canadien des civilisations : p. 41 (piège en métal), 98 (D-5987, S90-85, lampe); Musée d'art contemporain de Montréal : p. 181 (© Succession Alfred Pellan/SODRAC 2003); Musée de la civilisation : p. 38 (cheval de bois, 76-3), 60 (dépôt du Séminaire de Québec, mère Gamelin, 1993.21388); Musée des beaux-arts de Montréal : p. 105 (James Wilson Morrice, vers 1912-1913, #1981.10); Musée des beaux-arts du Canada, Ottawa : p. 58 (don du major Edgar C. Woolsey, Ottawa, 1952); Musée des maîtres et artisans du Québec : p. 37 (rouet, 1974.15); Musée des sciences et de la technologie du Canada : p. 118 (CN002951, en haut); Musée des Ursulines de Trois-Rivières : p. 42 (haut-de-forme); Musée McCord d'histoire canadienne, Montréal : p. 43 (M347), 49 (M980.75, en haut), (Archives Notman, 11-73472, au milieu), 54 (M970.67.23, en haut), (Archives Notman, I-17502, en bas), 55 (M778, en haut), 61 (M9561, à gauche), (M2615, à droite), 73 (MP-1979.22.215), 90 (Archives Notman, View-17248), 92 (View-3248, en bas), (View-8784, en bas), 93 (MP-1979.155.140, en haut), (II-111369, en bas), 96 (MP-0000.25.343), 99 (MP-0000.840.22, en bas), 106 (M987X.2.1), 107 (M999.38.1), 143 (View-3884, en bas), 144 (View-2117); Musée minéralogique et minier de Thetford Mines : p. 72 (1976.396, Jean-Yves Cliche), 91 (bauxite, 1993.25, Marie-Claude Durette), (mine, 1999.348.5 coll. succ. Alfred Penhale), 150 (1990.43, Serge Gaudard); Musée national des beaux-arts du Québec : photographe Patrick Altman : p. 34 (Charles Alexander, *L'Assemblée des six comtés*, 1891, # 37.54), 36 (Marc-Aurèle de Foy Suzor-Côté, *Faucheur aiguisant sa faux*, 1913, # 34.42), 37 (Edmond-Joseph Massicotte, en bas), 40 (Edmond-Joseph Massicotte, *Un magasin général de jadis*, 1925, # 36.43), 99 (Henri Julien, *Le Rigodon chez Batissette Auger*, vers 1900, # 34.603), 104 (© Succession Ozias Leduc/SODRAC 2003, *La Fuite en Égypte*. *Apparition de l'ange à saint Joseph*, 1916-1919, # 82.27), 105 (Alfred Laliberté, *Le Mortaiseur*, entre 1928 et 1932, # 34.306); Musée québécois de culture populaire : p. 102 (machine Singer, 1991.975.01, coll. Robert-Lionel Séguin); Nations Unies : p. 208; Parcs Canada : p. 57 (Jean Jolin); Alan Philbrick : p. 76; PHMC : p. 29; Pierimage Photographie : p. 149 (Pierre Dunnigan); Pierre Valcourt : p. 86 (Maison Premier Plan, T521-1984); Port de Montréal : p. 172 (photographe Marc Piché); Presse canadienne : p. 158 (MTLS 992183, en bas), 159 (QBCJ 1152477, en bas); Productions La Fête : p. 182; Religieuses hospitalières de Saint-Joseph de Montréal : p. 103; Ressources naturelles du Canada (courtoisie de la Commission géologique du Canada) : p. 73, 112 (W. Logan); Julie Saindon : p. 102 (en bas); Ulli Steltzer : p. 199 (en haut); SuperStock : p. 5 (1047-256); Ville de Montréal : p. 98 (villa), 181 (en bas); Whyte Museum : p. 142 (NA-66-2288).

Cyclades
(Manuel d'univers social)

© Modulo Éditeur, 2003
233, av. Dunbar
Mont-Royal (Québec)
Canada   H3P 2H4
Téléphone : (514) 738-9818 / 1-888-738-9818
Télécopieur : (514) 738-5838 / 1-888-273-5247
Site Internet : www.groupemodulo.com

Dépôt légal — Bibliothèque nationale du Québec, 2003
Bibliothèque nationale du Canada, 2003
ISBN 2-89113-911-9

Imprimé au Canada
2 3 4 5   07 06 05

TABLE DES MATIÈRES

LE RELIEF ET LES RESSOURCES NATURELLES DU CANADA

OCÉAN ARCTIQUE

Les animaux à fourrure

Les forêts du nord et de l'ouest du Canada abritent de nombreux animaux à fourrure comme le castor, le bison et le vison.

Le saumon

Les eaux de la côte du Pacifique et des fleuves de la Colombie-Britannique sont riches en plusieurs espèces de saumon.

La forêt

Comme au Québec, la forêt est une ressource naturelle importante dans l'ouest du Canada.

Cordillère de l'Ouest

Plaines intérieures

OCÉAN PACIFIQUE

Le charbon

Au 19e siècle, le charbon sert à se chauffer, à produire de l'électricité et à faire avancer les trains. On en trouve dans le sous-sol de l'île de Vancouver et du sud de l'Alberta.

Le blé

À partir de la fin du 19e siècle, on cultive le blé sur le sol fertile des basses-terres situées sur les rives des lacs Ontario et Érié ainsi que dans les prairies du centre du Canada.

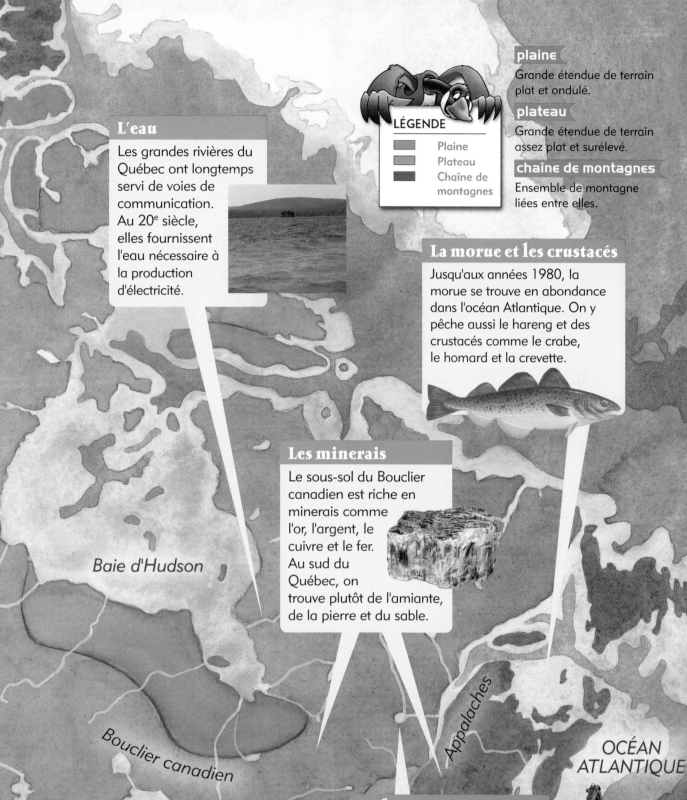

L'eau

Les grandes rivières du Québec ont longtemps servi de voies de communication. Au 20e siècle, elles fournissent l'eau nécessaire à la production d'électricité.

plaine
Grande étendue de terrain plat et ondulé.

plateau
Grande étendue de terrain assez plat et surélevé.

chaîne de montagnes
Ensemble de montagne liées entre elles.

La morue et les crustacés

Jusqu'aux années 1980, la morue se trouve en abondance dans l'océan Atlantique. On y pêche aussi le hareng et des crustacés comme le crabe, le homard et la crevette.

Les minerais

Le sous-sol du Bouclier canadien est riche en minerais comme l'or, l'argent, le cuivre et le fer. Au sud du Québec, on trouve plutôt de l'amiante, de la pierre et du sable.

Baie d'Hudson

Bouclier canadien

Appalaches

OCÉAN ATLANTIQUE

La forêt

Depuis toujours, la forêt fournit des matériaux de construction. Dès la fin du 19e siècle, les arbres entrent dans la fabrication de la pâte de bois qui sert à produire le papier.

V

DES OUTILS À LA CARTE

L'échelle graphique

La petite ligne graduée, que l'on retrouve généralement au bas des cartes, est une échelle graphique. Cet outil te permet de mesurer la distance réelle entre deux endroits. Observe l'échelle graphique sur la carte ci-contre.

À l'aide d'une règle, tu peux facilement trouver la distance entre Gesgapegiag et Bonaventure. Mesure la distance qui sépare les deux points. Il y a 2 centimètres. Si 1 centimètre sur la carte est égal à 20 kilomètres dans la réalité, alors la distance entre Gesgapegiag et Bonaventure est de 40 kilomètres.

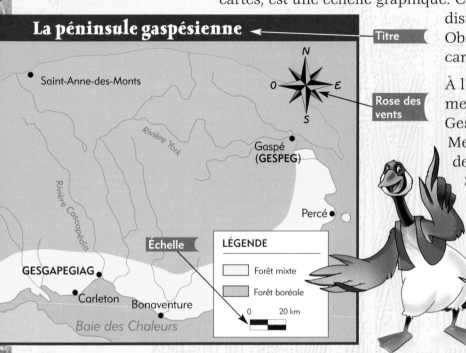

La péninsule gaspésienne

Titre

Rose des vents

Échelle

Saint-Anne-des-Monts

Rivière York

Gaspé (GESPEG)

Percé

Rivière Cascapédia

GESGAPEGIAG

Carleton

Bonaventure

Baie des Chaleurs

LÉGENDE
- ☐ Forêt mixte
- ▨ Forêt boréale

0   20 km

Selon cette échelle, 1 centimètre sur la carte est égal à 20 kilomètres dans la réalité.

La ligne du temps

La ligne du temps est un diagramme qui sert à représenter le temps. Elle peut prendre la forme d'une ligne ou d'un ruban gradués. Elle se divise en périodes plus ou moins longues, appelées «intervalles».

La ligne du temps a une direction souvent indiquée par une flèche. Elle se déroule du temps passé vers le temps présent. C'est ce qu'on appelle l'ordre chronologique. La ligne du temps te permet de voir dans quel ordre les événements se sont passés. De plus, les intervalles de la ligne du temps te permettent de calculer le temps écoulé entre deux événements.

Il n'y a jamais d'an 0 sur une ligne du temps. On commence à compter les années à partir de la naissance de Jésus-Christ : 1, 2, 3 vers la droite et -1, -2, -3 vers la gauche.

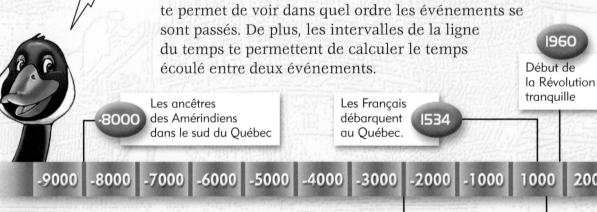

1960
Début de la Révolution tranquille

Les ancêtres des Amérindiens dans le sud du Québec
-8000

Les Français débarquent au Québec.
1534

| -9000 | -8000 | -7000 | -6000 | -5000 | -4000 | -3000 | -2000 | -1000 | 1000 | 2000 |

Les ancêtres des Inuits dans le nord du Québec
-2000

1763
Le Québec, colonie britannique

DES OUTILS À LA CARTE

Les diagrammes

Un diagramme, ou graphique, c'est un dessin tout simple qui te donne plusieurs informations sur une réalité, comme la population ou la température d'une région. Le diagramme te permet d'observer des changements dans le temps ou de faire des comparaisons.

Il existe de nombreux types de diagrammes. Voici trois exemples qui représentent des populations de différentes manières.

---

1 *La population du Canada en 1806 et en 1848*

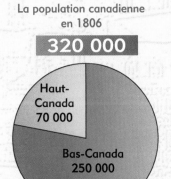

La population canadienne en 1806

320 000

Haut-Canada 70 000

Bas-Canada 250 000

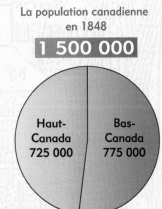

La population canadienne en 1848

1 500 000

Haut-Canada 725 000

Bas-Canada 775 000

Ce diagramme circulaire représente deux groupes d'une même population à une date précise. Tu dois comparer l'importance de la surface de chaque portion.

Alors, quelle région est la plus peuplée en 1848, le Bas-Canada ou le Haut-Canada?

---

2 *La population du Québec de 1851 à 1921*

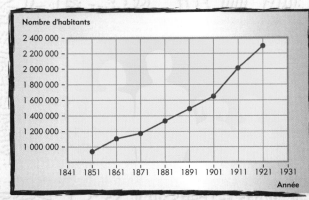

Nombre d'habitants

Année

Voici un diagramme à ligne brisée. Dans ce diagramme, on représente par un point le nombre d'habitants du Québec, pour chaque année indiquée. Les points sont ensuite reliés par une ligne. Tu n'as qu'à suivre la ligne pour voir la croissance de la population.

---

3 *La population du Québec de 1921 à 1981*

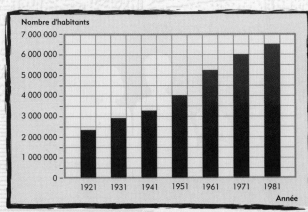

Nombre d'habitants

Année

Ce diagramme à bandes montre la croissance de la population du Québec sur une période de 60 ans. La hauteur de chaque bande représente le nombre d'habitants pour une année précise.

Lire et comprendre un document iconographique

Pour écrire l'histoire, l'historienne ou l'historien doit étudier de nombreux documents. Un document est une trace laissée par une action humaine : un texte (une lettre, un article de journal, etc.), un objet, un bâtiment ou encore une œuvre d'art. Grâce au document, on peut faire la preuve d'un événement qui s'est déroulé dans le passé. On s'informe aussi sur la société dans laquelle s'est produit cet événement.

Le document iconographique se rapporte à l'image. Il peut prendre des formes très variées : une peinture, un dessin, une affiche, une photographie, etc. Voici un exemple de document iconographique, un tableau peint au 19e siècle.

The Woosley Family (*La famille Woosley*), par William Berczy en 1809.

Les réponses à ces questions te permettront de mieux connaître la famille Woosley et la société dans laquelle elle vivait.

Décris d'abord les éléments du tableau :

- son titre ;
- son auteur ;
- sa date ;
- les personnages, les objets et l'endroit où ils se trouvent.

Observe maintenant le tableau et pose-toi différentes questions comme les suivantes.

- Qui sont les membres de cette famille (parents, enfants) ?
- Comment sont-ils habillés ?
- Quels sont leurs loisirs ?

La conquête britannique de la Nouvelle-France

1759 — Bataille des plaines d'Abraham à Québec

1776 — Déclaration d'indépendance des États-Unis d'Amérique

1760 1770 1780 **1790**

1763 — Création de la *Province of Quebec*

1793 — Alexander Mackenzie parvient à l'océan Pacifique.

1760 — Montréal aux mains des soldats britanniques

britannique

Qui se rapporte à la Grande-Bretagne. La Grande-Bretagne regroupe l'Angleterre, le pays de Galles, l'Écosse et l'Irlande.

A u cours de la longue période qui s'étend de 1745 à 1820, deux coups de théâtre importants surviennent dans l'est de l'Amérique du Nord. Le territoire de la Nouvelle-France devient une colonie **britannique** et les Treize colonies anglo-américaines obtiennent enfin leur indépendance. D'un côté, la Grande-Bretagne gagne un nouveau territoire et, de l'autre, elle perd des colonies au profit des États-Unis. Tu verras que ces profonds bouleversements politiques et sociaux transformeront le visage de la Nouvelle-France.

Résumé des événements

Pour mieux comprendre les années 1745 à 1820, une période mouvementée de l'histoire de la Nouvelle-France, voici un résumé des principaux événements.

Une époque difficile

Tu remarqueras d'abord que les conflits territoriaux entre la Grande-Bretagne et la France ne datent pas d'hier. Dès le début du 17e siècle, ces deux grands royaumes d'Europe luttent l'un contre l'autre en Amérique du Nord.

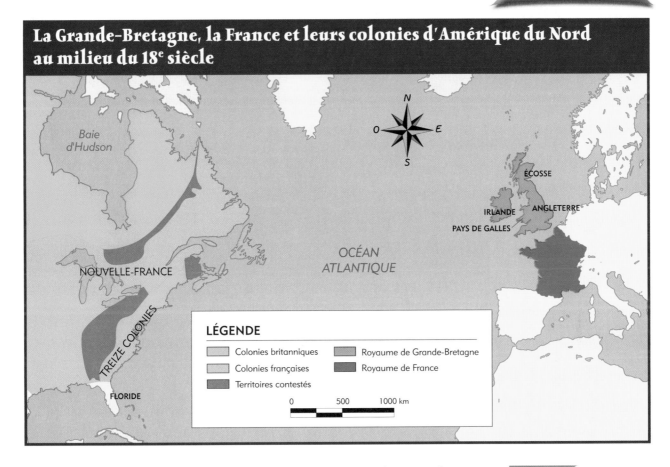

La Grande-Bretagne, la France et leurs colonies d'Amérique du Nord au milieu du 18ᵉ siècle

Baie
d'Hudson

ÉCOSSE

IRLANDE   ANGLETERRE

PAYS DE GALLES

NOUVELLE-FRANCE

OCÉAN
ATLANTIQUE

TREIZE COLONIES

FLORIDE

LÉGENDE

- Colonies britanniques
- Colonies françaises
- Territoires contestés
- Royaume de Grande-Bretagne
- Royaume de France

0   500   1000 km

Ils se battent pour agrandir leur territoire, car chacun désire s'emparer de nouvelles ressources à **exploiter** comme les animaux à fourrure, les forêts, les terres fertiles et le poisson.

Un siècle et demi plus tard, soit autour de 1750, la France et la Grande-Bretagne entrent une fois de plus en guerre. Or, tu comprendras que les conflits engendrés par cette guerre divisent les colonies françaises et britanniques d'Amérique du Nord. Pourquoi les **colons** se battent-ils ? Qu'espèrent-ils obtenir ? Au début des **hostilités**, les forces de la Nouvelle-France, composées de Français, de Canadiens et d'Amérindiens, remportent d'importantes victoires.

La défaite d'un général britannique.

exploiter

Tirer parti d'une ressource en vue de la transformer ou d'en faire le commerce. On exploite les arbres des forêts en les coupant pour en faire du bois de construction et le vendre.

colon

Personne qui s'installe dans un pays dominé par un autre pays plus puissant. Les colons développent la région qu'ils habitent.

hostilités

Toutes les opérations et les actions liées à une guerre.

Des navires de la marine britannique.

riposter

Donner une réponse vive et rapide.

outre-mer

Qui se situe au-delà des mers, comme Montréal par rapport à Paris ou à Londres.

La bataille des plaines d'Abraham à Québec en 1759.

Mais la Grande-Bretagne n'a pas dit son dernier mot. Déterminée à posséder de nombreuses colonies et à contrôler les mers, elle **riposte** fortement. Comment ? Elle envoie plusieurs navires et de nombreux soldats pour conquérir la Nouvelle-France.

Ces immenses bateaux transportent des hommes et des armes, mais aussi toutes les provisions nécessaires pour se battre pendant de longues semaines. Contrairement à la Grande-Bretagne, appuyée par les colons de la Nouvelle-Angleterre, la France se porte un peu tard au secours de sa colonie d'**outre-mer**, qui a bien besoin de renforts. En raison de cette négligence, la Nouvelle-France perd ses villes les plus importantes : Louisbourg, Québec et enfin Montréal, en 1760. En 1763, la Nouvelle-France devient une colonie britannique.

Savais-tu que cette triste bataille a duré moins d'une demi-heure ? Les soldats britanniques, des militaires d'expérience, ont surpris l'armée française qui réunissait plusieurs hommes mal entraînés.

Des voisins indépendants

Avec la conquête britannique de la Nouvelle-France, toute la partie est de l'Amérique du Nord, de la baie d'Hudson à la Floride, appartient maintenant au royaume de la Grande-Bretagne. Mais tu verras que la paix ne règne pas complètement dans cette grande région.

Les habitants des Treize colonies **anglo-américaines** sont de plus en plus mécontents. Pourquoi ? Parce qu'après la conquête britannique de 1763, ils espèrent agrandir vers l'ouest le territoire de leurs colonies. Toutefois, la Grande-Bretagne ne leur cède pas un centimètre de plus !

Les conquérants britanniques exigent même que les Treize colonies paient d'importantes taxes sur toutes sortes de produits comme le sucre, le thé ou le papier. Ces mesures économiques provoquent la colère des colons.

En 1776, des représentants des Treize colonies déclarent l'indépendance des États-Unis d'Amérique. Ils invitent ainsi la population à ne plus obéir à la Grande-Bretagne. C'est le début d'une longue guerre avec cette dernière qui durera près de sept ans.

anglo-américaine

Se dit des treize colonies situées sur la côte est de l'Amérique du Nord qui sont sous l'autorité du roi de Grande-Bretagne.

Les représentants des Treize colonies déclarent l'indépendance des États-Unis d'Amérique.

Territoire et population

Tu te souviens sans doute du vaste territoire de la Nouvelle-France vers 1745. Situées en Amérique du Nord, ces terres étaient riches en forêts, en animaux à fourrure et en sols fertiles. Ce territoire était habité par des Amérindiens et des colons d'origine française. Ces populations y trouvaient les ressources nécessaires pour se bâtir, se nourrir et faire du commerce.

cession

Action de laisser, d'abandonner un territoire au vainqueur d'une guerre.

Après la **cession** de la Nouvelle-France à la Grande-Bretagne, en 1763, le territoire se développe peu à peu d'une autre manière. Il accueille désormais de nouveaux colons venus des États-Unis. Dans les pages suivantes, tu pourras voir comment une population grandissante s'adapte aux nouvelles lois des dirigeants britanniques.

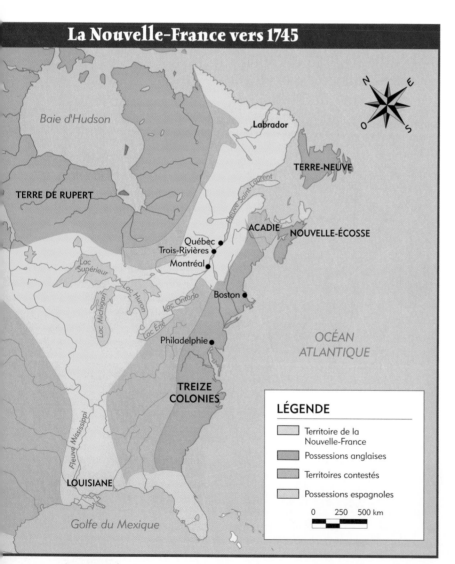

La Nouvelle-France vers 1745

Baie d'Hudson

Labrador

TERRE-NEUVE

TERRE DE RUPERT

Fleuve Saint-Laurent

ACADIE

NOUVELLE-ÉCOSSE

Québec
Trois-Rivières
Montréal

Lac Supérieur

Lac Huron

Lac Michigan

Lac Ontario

Lac Érié

Boston

Philadelphie

OCÉAN ATLANTIQUE

TREIZE COLONIES

Fleuve Mississippi

LOUISIANE

Golfe du Mexique

LÉGENDE

Territoire de la Nouvelle-France

Possessions anglaises

Territoires contestés

Possessions espagnoles

0   250   500 km

Un territoire changeant

Regarde attentivement la carte ci-contre. La Nouvelle-France, en 1745, est traversée par deux grands fleuves : le Saint-Laurent, au nord, et le Mississippi, au sud. Ces cours d'eau sont très utiles pour voyager à l'intérieur du continent.

Comme tu peux le constater, cet immense territoire s'étend du Labrador, en passant par la vallée du Saint-Laurent et les Grands Lacs, jusqu'en Louisiane.

Or, en 1763, à l'issue de la Proclamation royale, la Nouvelle-France devient une colonie britannique. En moins de 20 ans, la carte de l'Amérique du Nord change complètement.

La Nouvelle-France, que les colons d'origine française appelaient le Canada, porte désormais un nom anglais : *Province of Quebec* (en français, « province de Québec »). Son territoire, autrefois grandiose, est réduit à la seule vallée du Saint-Laurent.

Les *Canadiens* se trouvent ainsi privés d'importants territoires de chasse et de pêche.

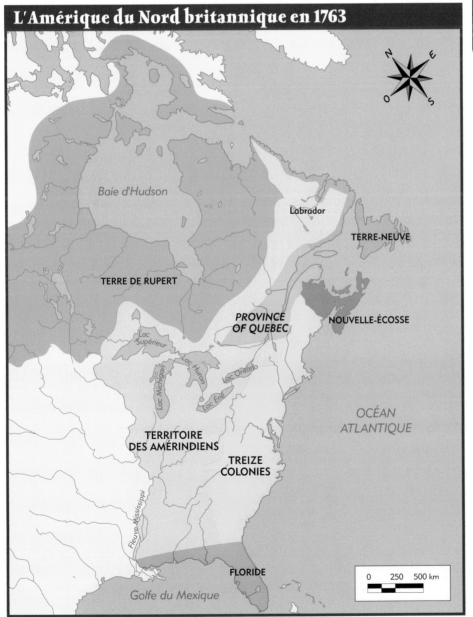

L'Amérique du Nord britannique en 1763

- Baie d'Hudson
- Labrador
- TERRE-NEUVE
- TERRE DE RUPERT
- PROVINCE OF QUEBEC
- NOUVELLE-ÉCOSSE
- Lac Supérieur
- Lac Michigan
- Lac Huron
- Lac Ontario
- Lac Érié
- OCÉAN ATLANTIQUE
- TERRITOIRE DES AMÉRINDIENS
- TREIZE COLONIES
- Fleuve Mississippi
- FLORIDE
- Golfe du Mexique
- 0 250 500 km

Canadien

Colon né dans la vallée du Saint-Laurent.

Tu te doutes bien que ce découpage du territoire en 1763 ne plaît pas à tous. En effet, les marchands canadiens et britanniques de Québec et de Montréal sont très mécontents, car ils avaient l'habitude de faire le commerce de la fourrure à l'ouest et d'exploiter des postes de pêche dans le golfe du Saint-Laurent.

Les dirigeants britanniques de la *Province of Quebec* choisissent alors d'agrandir le territoire vers le Labrador et vers les Grands Lacs pour apaiser la colère des marchands.

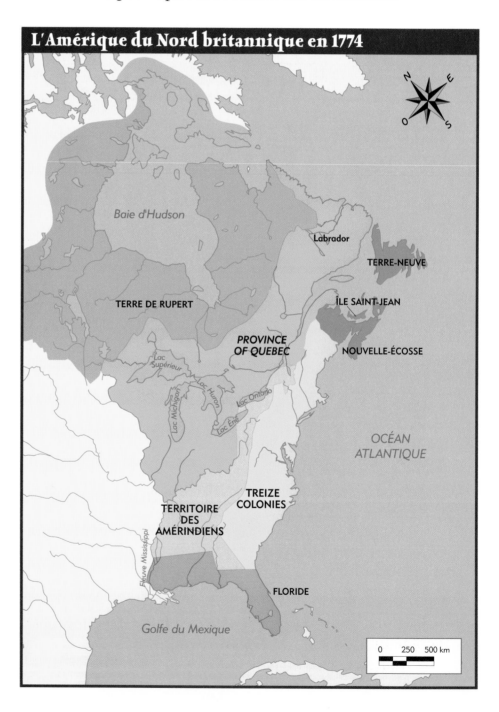

L'Amérique du Nord britannique en 1774

Tu observeras plus loin qu'à partir des années 1780 la *Province of Quebec* va subir d'importants changements. Pourquoi? En raison de la forte immigration en provenance des États-Unis qui, ne l'oublie pas, sont toujours en guerre avec la Grande-Bretagne pour obtenir leur indépendance. Que va-t-il se passer? Eh bien, la *Province of Quebec* sera divisée en deux territoires: le Haut-Canada et le Bas-Canada. La rivière des Outaouais leur servira de **frontière** naturelle. La Grande-Bretagne y exploitera les mêmes ressources naturelles qu'à l'époque de la Nouvelle-France.

frontière
Limite séparant deux territoires.

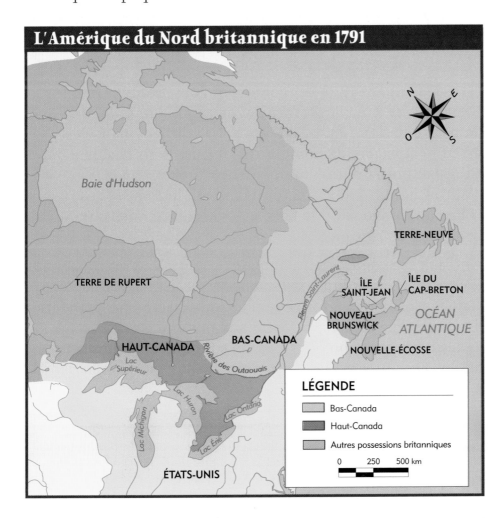

L'Amérique du Nord britannique en 1791

Baie d'Hudson

TERRE-NEUVE

TERRE DE RUPERT

ÎLE SAINT-JEAN

ÎLE DU CAP-BRETON

Fleuve Saint-Laurent

NOUVEAU-BRUNSWICK

OCÉAN ATLANTIQUE

HAUT-CANADA

BAS-CANADA

NOUVELLE-ÉCOSSE

Lac Supérieur

Rivière des Outaouais

Lac Huron

Lac Michigan

Lac Ontario

Lac Érié

ÉTATS-UNIS

LÉGENDE
- Bas-Canada
- Haut-Canada
- Autres possessions britanniques

0   250   500 km

De plus en plus nombreux dans la vallée du Saint-Laurent

Autour de 1745, en Nouvelle-France, la vallée du Saint-Laurent ne comptait qu'environ 50 000 Canadiens, principalement d'origine française, et quelques milliers d'Amérindiens de différentes nations.

La ville de Québec en ruine.

Dans les années 1750, les conflits qui opposent la Grande-Bretagne aux colonies françaises causent la mort de milliers de personnes en Nouvelle-France. La ville de Québec est détruite ainsi que de nombreuses fermes dans la vallée du Saint-Laurent. Comme un malheur n'arrive jamais seul, d'autres ennuis attendent les habitants : les mauvaises récoltes qui provoquent la famine, et les **épidémies** qui font beaucoup de victimes.

Après la conquête britannique de la Nouvelle-France, quand le territoire est réduit à la *Province of Quebec*, les Canadiens français forment le groupe le plus important. Leur population augmente régulièrement grâce aux nombreuses naissances. Les Britanniques, quant à eux, ne sont que quelques centaines. Leur groupe est formé principalement de marchands.

épidémie

Maladie contagieuse touchant rapidement un grand nombre de personnes.

Observe bien la courbe. Après 1780, la population augmente de façon importante grâce aux naissances et aux nouveaux immigrants.

La population canadienne de 1745 à 1806

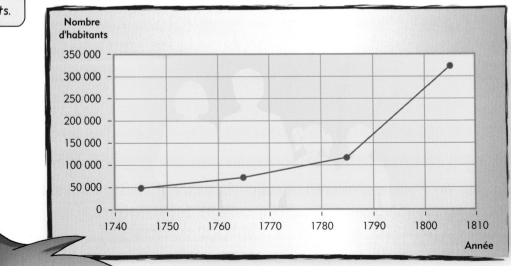

Les nouveaux immigrants

Afin de réduire l'écart entre les populations **francophone** et **anglophone**, les dirigeants de la *Province of Quebec* demandent aux Britanniques de venir s'installer dans la vallée du Saint-Laurent. Mais pour plusieurs, le climat est trop froid et la présence d'une importante population d'origine française leur fait craindre le pire.

Alors, qui contribuera à l'augmentation de la population anglophone dans la *Province of Quebec*? En réalité, c'est la guerre d'indépendance des Treize colonies anglo-américaines qui entraîne le peuplement anglophone dans la vallée du Saint-Laurent. Comme tu pourras l'observer dans les pages qui vont suivre, de nombreux habitants des Treize colonies ne veulent pas participer à ce conflit qui les oppose à la Grande-Bretagne. Alors que font-ils? Près de 7000 d'entre eux quittent les colonies en guerre pour venir s'installer dans la *Province of Quebec*. Ces nouveaux venus s'appellent les Loyalistes. Pourquoi les nomme-t-on ainsi? Tout simplement parce qu'ils sont demeurés loyaux, c'est-à-dire fidèles, au roi de la Grande-Bretagne.

En 1790, la *Province of Quebec* compte 160 000 habitants, dont 16 000 sont d'origine britannique.

francophone
Qui parle la langue française.

anglophone
Qui parle la langue anglaise.

réfugié
Personne qui a fui son pays d'origine pour échapper à un danger.

> Observe bien la carte. Une grande partie de ces réfugiés britanniques reçoivent des terres à l'ouest de Montréal, sur la rive nord du fleuve Saint-Laurent et des Grands Lacs. D'autres s'établissent à Montréal, à Sorel, à Québec et en Gaspésie.

Les principaux établissements loyalistes dans la *Province of Quebec*

Un campement de Loyalistes au bord du fleuve Saint-Laurent.

Des Loyalistes de toutes les origines

Joseph Brant, chef iroquois loyaliste.

Qui sont ces gens fidèles à la Grande-Bretagne venus se réfugier au Québec ? Ce sont des individus, mais aussi des familles entières qui ont fui le territoire des Treize colonies. Il y a parmi eux des marchands, des militaires, des avocats, mais également des femmes et des hommes moins fortunés qui pratiquent différents métiers.

Près de 2000 Iroquois se déplacent également vers le nord. Ils s'établissent au nord du lac Érié. Les dirigeants britanniques leur offrent de l'argent, une école, des moulins et une église.

Les Loyalistes ne sont pas tellement appréciés dans les Treize colonies. On confisque leurs maisons, on les jette en prison et il arrive même qu'on les punisse en les roulant dans le goudron puis dans les plumes !

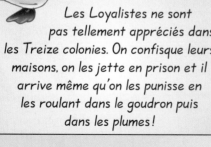

Familles loyalistes en route vers le Québec.

Vie politique

Au milieu du 18ᵉ siècle, la Grande-Bretagne veut agrandir ses colonies d'Amérique du Nord. Elle y parvient car, avec la conquête britannique de 1763, la Nouvelle-France devient officiellement une colonie britannique. Tu vas découvrir qu'il n'est pas toujours simple pour une colonie de changer de gouvernement.

Vive le roi… de Grande-Bretagne !

Après leur victoire écrasante contre la Nouvelle-France, les Britanniques veulent mettre en place un gouvernement pour diriger leur nouvelle colonie. Voilà qui est plus facile à dire qu'à faire. En effet, les Canadiens sont beaucoup plus nombreux que les Britanniques et ils aimeraient conserver leur façon de se gouverner, leurs lois ainsi que leur religion.

La dure loi du vainqueur

La Nouvelle-France, tu te souviens, était une province du royaume de France. Un gouverneur général et un intendant, tous deux nommés par le roi, s'occupaient des affaires de la colonie. Un conseil supérieur jouait le rôle de cour de justice.

Maintenant que la Nouvelle-France est vaincue, comment la Grande-Bretagne va-t-elle gouverner cette colonie ? Par une loi appelée la Proclamation royale, le roi George III crée la *Province of Quebec* et annonce de nouvelles lois dures pour les Canadiens.

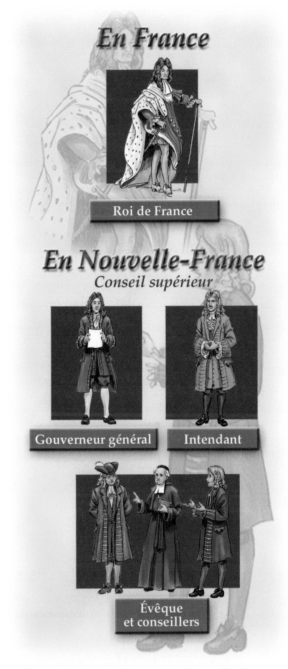

L'organisation politique de la Nouvelle-France.

Dans ce système politique, les dirigeants sont nommés par le roi. Les gens du peuple ne choisissent pas les membres de leur gouvernement.

La Proclamation royale de 1763 en résumé

Territoire	Le territoire de la *Province of Quebec* est réduit à la vallée du Saint-Laurent.
Politique	La *Province of Quebec* sera dirigée par : – un gouverneur nommé par le roi ; – un conseil nommé par le gouverneur ; – une assemblée élue par la population.
Justice	Les lois britanniques remplacent les lois françaises.
Religion	La **religion protestante** remplace la religion catholique : – pour faire partie du nouveau gouvernement, les Canadiens devront rejeter la religion catholique ; – pour enseigner la nouvelle religion aux enfants canadiens, on construira des écoles protestantes.

George III, roi de Grande-Bretagne et d'Irlande.

religion protestante

Religion chrétienne qui reconnaît Jésus et ses enseignements, mais qui ne considère pas le pape comme le chef de l'Église.

La Proclamation adoucie

Dans la pratique, les premiers gouverneurs britanniques de la *Province of Quebec* ne peuvent pas appliquer facilement cette proclamation. Même s'ils ont gagné la guerre, les Britanniques ne sont pas assez nombreux dans la vallée du Saint-Laurent. Ils ne peuvent pas imposer rapidement aux Canadiens leurs lois, leurs coutumes, leur langue et leur religion.

Au fil des ans, on adapte la Proclamation royale pour satisfaire les Canadiens.

L'application de la Proclamation royale en résumé

Territoire	Le territoire de la *Province of Quebec* est étendu des Grands Lacs jusqu'au Labrador.
Politique	La province est dirigée par un gouvernement semblable à celui de la Nouvelle-France : – un gouverneur nommé par le roi; – un conseil, nommé par le gouverneur, formé de Britanniques et de Canadiens. Une assemblée ne sera élue qu'en 1792.
Justice	Certaines lois françaises ainsi que des lois britanniques s'appliquent.
Religion	Les Canadiens obtiennent la liberté de pratiquer la religion catholique. Pour participer au conseil, les Canadiens ne sont plus obligés de rejeter leur religion. Cependant, ils doivent jurer fidélité au roi de Grande-Bretagne.

Une réunion du conseil de la Province of Quebec.

Les gouverneurs de la bonne entente

Les deux premiers gouverneurs de la *Province of Quebec*, James Murray et Guy Carleton, préfèrent gagner le cœur des Canadiens plutôt que de les gouverner par la force.

Murray et Carleton s'entendent bien avec les **seigneurs** et les prêtres. Ils les considèrent comme les véritables chefs de la colonie, car les habitants leur font confiance.

De plus, Carleton veut l'appui des Canadiens en cas de guerre avec les États-Unis. C'est pourquoi les deux gouverneurs essaient de répondre aux besoins des Canadiens. Grâce à leur attitude, Murray et Carleton ont permis à la société canadienne-française de survivre et de se développer.

seigneur

Une personne fortunée, un militaire ou une communauté religieuse qui possède des terres en Nouvelle-France.

Les gouverneurs ne font pas que de la politique ! Le troisième gouverneur de la colonie, Frederick Haldimand, a aussi le mérite d'avoir fondé la première bibliothèque publique du Canada en 1779, dans la ville de Québec.

Nous voulons une assemblée!

À partir des années 1780, l'arrivée massive de milliers d'immigrants anglophones a provoqué de grands bouleversements dans la vallée du Saint-Laurent. À leur tour, ces nouveaux arrivants réclament plus de pouvoir pour organiser la colonie.

Les Loyalistes, tout comme les marchands britanniques installés à Montréal et à Québec, demandent l'élection d'une assemblée. De plus, un nombre grandissant de Canadiens, surtout des marchands, des médecins et des notaires, exigent la même chose.

Pourquoi veulent-ils une assemblée? Tout simplement, parce qu'elle donne plus de pouvoir aux habitants. Lors d'une élection, les habitants choisissent leurs représentants. Ces élus se réunissent à la Chambre d'assemblée. Ils préparent et décident des lois au nom de la population. Ainsi, le gouverneur et les conseillers ne sont plus les seuls à prendre des décisions.

Imagine si la direction et les enseignantes décidaient seules de toutes les règles et de toutes les activités de ton école sans consulter les représentants de classe? Cela te plairait?

La Grande-Bretagne répond aux demandes des habitants et adopte une nouvelle **constitution** pour la *Province of Quebec*. Cette constitution s'appelle l'Acte constitutionnel de 1791.

constitution

Loi ou ensemble de règles qui établit l'organisation politique d'un pays ainsi que les droits et les devoirs de ses habitants. C'est un peu le «code de vie» d'un pays.

En 1792, les premières élections sont organisées dans le Bas et le Haut-Canada. La population choisit ses représentants à la Chambre d'assemblée. Mais les pouvoirs de l'assemblée sont alors très limités.

À l'époque, les électeurs votaient à main levée. Ainsi, chacun pouvait connaître le choix des autres.

	L'Acte constitutionnel de 1791 en résumé
Territoire	La *Province of Quebec* est divisée en deux colonies par la rivière des Outaouais : à l'est, le Bas-Canada et à l'ouest, le Haut-Canada.
Politique	Chaque colonie sera dirigée par : – un gouverneur nommé par le roi; – deux conseils nommés par le gouverneur; – une assemblée élue par la population.
Justice	Des lois britanniques et certaines lois françaises s'appliqueront au Bas-Canada. Les lois britanniques s'appliqueront au Haut-Canada.
Religion	La religion protestante demeure la religion officielle. Les Canadiens sont libres de pratiquer la religion catholique.

Les armoiries du roi de Grande-Bretagne, un ensemble de symboles de la puissante famille royale britannique.

Activités économiques

Le commerce de la fourrure était très important en Nouvelle-France. En effet, la fourrure était la principale marchandise d'**exportation** de la colonie. Après la conquête par les Britanniques dans les années 1760, la fourrure continue d'être une grande source de richesses pour les marchands. Cependant, vers la fin du 18e siècle, des produits comme le blé et le bois commencent à prendre de plus en plus d'importance.

exportation

Action d'envoyer et de vendre des marchandises à l'extérieur d'un pays.

La fourrure toujours plus à l'ouest et au nord

traite

Échange et transport de marchandises.

Après la conquête de la Nouvelle-France, la **traite** des fourrures ne se fait plus de la même façon. Les changements de territoire ne font pas toujours la joie des commerçants. Avec la création des États-Unis, les marchands ont perdu le sud des Grands Lacs, une région riche en fourrures. Les voyageurs qui vont chercher les fourrures auprès des Amérindiens doivent désormais parcourir des distances de plus en plus grandes vers le nord et l'ouest de l'Amérique du Nord.

Les marchands canadiens-français ne sont plus les seuls à faire la traite des fourrures. Les grands marchands britanniques de Montréal se lancent aussi dans ce commerce. Ils possèdent l'argent nécessaire pour payer les longs voyages vers le nord-ouest de l'Amérique du Nord. Comme ils sont britanniques, ils revendent facilement leurs fourrures en Grande-Bretagne et ailleurs dans le monde. À la fin du 18e siècle, les marchands canadiens qui n'ont plus assez d'argent sont éliminés du commerce de la fourrure.

Les marchands britanniques employaient des voyageurs canadiens-français et amérindiens pour aller chercher les fourrures à l'autre bout du continent. Ces hommes vigoureux passaient parfois plus de 12 heures par jour dans leur canot !

Le commerce de la fourrure au 18e siècle.

L'exploration au bout de l'Amérique du Nord

L'arrivée des Britanniques dans la vallée du Saint-Laurent n'arrête pas l'exploration du continent nord-américain. On recherche toujours une route vers l'Ouest et de nouveaux territoires pour le commerce de la fourrure.

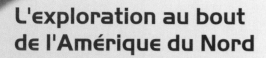

Alexander Mackenzie (1764-1820).

Les voyages du marchand de fourrures Alexander Mackenzie te feront sans doute rêver. En 1789, il est le premier

Les voyages d'exploration de Mackenzie

OCÉAN ARCTIQUE

Grand Lac de l'Ours

Fleuve Mackenzie

Rivière de la Paix

Grand Lac de l'Esclave

Lac Athabaska

Baie d'Hudson

OCÉAN PACIFIQUE

Rivière Saskatchewan

Lac Winnipeg

Lac Supérieur

Lac Huron

Québec

Montréal

Lac Michigan

Lac Ontario

Lac Érié

OCÉAN ATLANTIQUE

LÉGENDE

- - - Premier voyage, 1789
- - - Second voyage, 1793
△△△ Montagnes

0   250   500 km

à parcourir le fleuve qui porte aujourd'hui son nom, le Mackenzie : 2000 kilomètres en canot d'écorce jusqu'à l'océan Arctique ! Sa seconde expédition est tout aussi impressionnante. Avec sa petite équipe, il franchit les montagnes Rocheuses. Il parvient à la côte du Pacifique en 1793 après avoir parcouru 1800 kilomètres en canot et à pied. C'est la première fois que des Européens atteignent ce point de l'Amérique du Nord par voie de terre.

Un village de la nation Bella Coola, les Amérindiens rencontrés par l'équipe de Mackenzie sur la côte du Pacifique.

Imagine, 2000 kilomètres en canot, c'est 8 fois la distance entre Montréal et Québec !

Le port de Québec et son chantier de construction de navires.

Du blé et du bois pour la Grande-Bretagne

Il n'y a pas que la fourrure pour enrichir les commerçants de la vallée du Saint-Laurent. Vers la fin du 18ᵉ siècle, le commerce du blé devient de plus en plus important. En effet, la population de la Grande-Bretagne augmente rapidement et les Britanniques ont besoin du blé canadien pour faire de la farine et bien se nourrir.

Les Britanniques commencent aussi à s'intéresser au bois des forêts canadiennes. À cette époque, de nombreux navires remplis de blé, de bois de construction et de fourrures quittent le port de Québec vers la Grande-Bretagne.

En 1788, une maladie frappe les champs de blé de la vallée du Saint-Laurent. La récolte est catastrophique. Malheureusement, les surplus de blé ont déjà été envoyés en Grande-Bretagne. Résultat: plusieurs colons meurent de faim.

Tu viens de traverser une époque très difficile de l'histoire du Canada. La conquête britannique a transformé le visage de la Nouvelle-France. De 1745 jusqu'à 1820, la Nouvelle-France devient tour à tour la *Province of Quebec*, puis le Haut et le Bas-Canada. La déclaration d'indépendance des États-Unis a, quant à elle, provoqué le déplacement de nombreux Loyalistes, hommes, femmes et enfants, venus s'établir dans la vallée du Saint-Laurent.

La société canadienne vers 1820

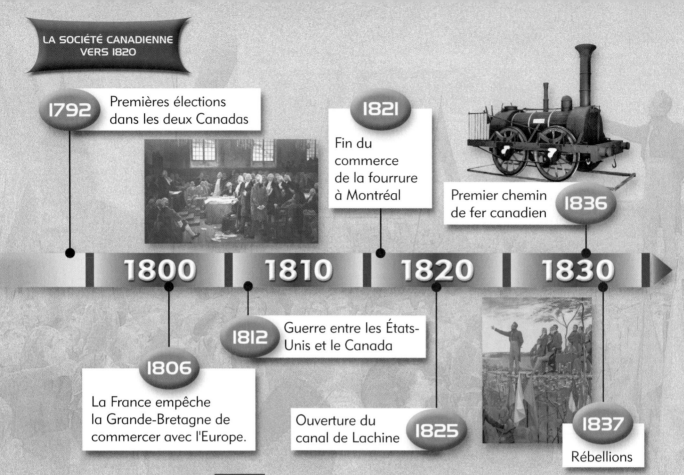

1792 Premières élections dans les deux Canadas

1821 Fin du commerce de la fourrure à Montréal

Premier chemin de fer canadien **1836**

1800 | **1810** | **1820** | **1830**

1812 Guerre entre les États-Unis et le Canada

1806 La France empêche la Grande-Bretagne de commercer avec l'Europe.

Ouverture du canal de Lachine **1825**

1837 Rébellions

Tous les bouleversements survenus lors de la conquête britannique de la Nouvelle-France, en 1763, ont modifié le territoire. Ce territoire, qui abrite des communautés amérindiennes, européennes et canadiennes, comprend maintenant des colons venus de Grande-Bretagne et des États-Unis d'Amérique. La Nouvelle-France est devenue la *Province of Quebec*, puis le Haut et le Bas-Canada. Tu verras comment tous les habitants, de langue et de culture différentes, vivent leur nouvelle réalité.

Territoire et population

Tu vas maintenant remonter le temps d'environ 200 ans pour découvrir le territoire du Canada. Tu feras la connaissance de la société canadienne d'autrefois !

Le pays a changé depuis l'arrivée des premiers colons européens au 17e siècle. Vers 1820, de grandes portions de la vallée du fleuve Saint-Laurent et des rives des Grands Lacs sont déboisées pour faire place aux terres agricoles et à une population beaucoup plus nombreuse.

Du Labrador au lac Supérieur

Lorsque tu étudies une société, comme la société canadienne au 19ᵉ siècle, il est très important de situer le territoire qu'elle occupe. Cette démarche te permet de connaître les avantages (pense aux ressources naturelles comme l'eau et les forêts) et les inconvénients (pense aux montagnes ou au climat très froid) d'habiter ce territoire. Tu peux ainsi comprendre comment les habitants s'adaptent à leur environnement et le transforment pour mieux y vivre.

Autour de 1820, le Canada est composé de deux colonies britanniques : le Haut et le Bas-Canada. Ces colonies couvrent les parties sud de l'Ontario et est du Québec actuels. Elles s'étendent d'est en ouest des côtes froides du Labrador jusqu'aux rives sauvages du lac Supérieur. Les basses-terres du Saint-Laurent et des Grands Lacs forment le cœur de cette vaste région.

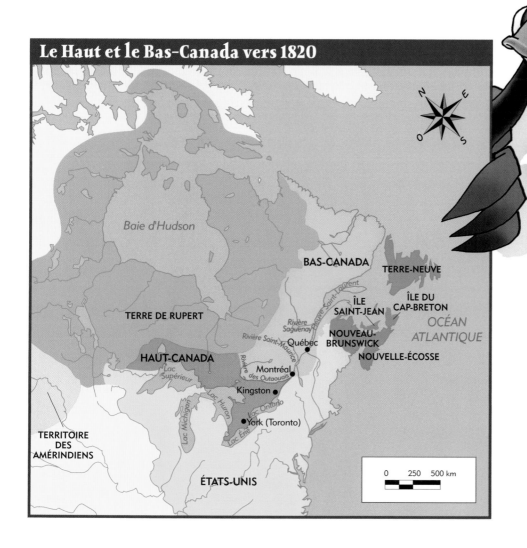

Le Haut et le Bas-Canada vers 1820

Baie d'Hudson

BAS-CANADA

TERRE-NEUVE

TERRE DE RUPERT

ÎLE SAINT-JEAN

ÎLE DU CAP-BRETON

OCÉAN ATLANTIQUE

Rivière Saguenay

Rivière Saint-Maurice

Fleuve Saint-Laurent

Québec

NOUVEAU-BRUNSWICK

HAUT-CANADA

Lac Supérieur

Rivière des Outaouais

Montréal

NOUVELLE-ÉCOSSE

Kingston

Lac Huron

Lac Michigan

Lac Ontario

York (Toronto)

Lac Érié

TERRITOIRE DES AMÉRINDIENS

ÉTATS-UNIS

0   250   500 km

traité ⟩

Entente (ou accord) conclue entre les gouvernements de deux pays.

fertile ⟩

Qui donne de bonnes récoltes.

défricher ⟩

Couper les arbres, retirer les broussailles et les pierres pour rendre la terre cultivable et propre à la construction.

affluent ⟩

Cours d'eau qui se jette dans un autre. Les rivières Saguenay et Richelieu sont des affluents du fleuve Saint-Laurent.

essence ⟩

Espèce ou sorte d'arbres.

faune ⟩

Ensemble des animaux d'une région.

Le Haut-Canada est situé sur un territoire amérindien depuis 1763. Petit à petit, les dirigeants britanniques signent des **traités** avec les Amérindiens pour récupérer des portions de cette vaste étendue. Les Amérindiens vendent de belles terres **fertiles** pour des vêtements, des armes et des munitions.

Un arrière-pays de forêts

Au fil des ans, les colons **défrichent** davantage les bois situés sur les rives du fleuve Saint-Laurent et de ses **affluents** ainsi que sur la rive nord des lacs Ontario et Érié. Cependant, de magnifiques forêts occupent toujours la plus grande partie de ce territoire. Pour mieux connaître les principales **essences** d'arbres de ces forêts et la **faune** qui les habite, observe la carte et les tableaux suivants.

Les forêts du Québec et de l'Ontario

LÉGENDE

☐ Toundra
▨ Forêt mixte des Grands Lacs et du Saint-Laurent
▨ Taïga
▨ Forêt boréale
▨ Feuillus

0   250   500 km

La toundra

Arbres	Conifères de petite taille, mousses, lichens
Faune	Mammifères : bœuf musqué, caribou, phoque Oiseaux : lagopède, harfang des neiges, bernache du Canada Poissons : omble, saumon, touladi

Un renard arctique.

Une épinette blanche.

Un ours noir.

La taïga

Arbres	Conifères de petite taille : épinette blanche, épinette noire, mélèze
Faune	Mammifères : ours noir, loup, renard arctique, caribou, lièvre Oiseaux : lagopède, harfang des neiges, bernache du Canada Poissons : omble, saumon, touladi

Un caribou.

Un saumon.

Un lynx.

La forêt boréale

Arbres	Conifères : épinette blanche, épinette noire, sapin baumier, pin gris Quelques feuillus : bouleau à papier, peuplier faux-tremble
Faune	Mammifères : ours noir, loup, renard roux, lynx, caribou, orignal, castor, lièvre Oiseaux : harfang des neiges, bernache du Canada, gélinotte huppée Poissons : esturgeon, saumon, touladi, brochet, omble, corégone

Un lièvre.

Un orignal.

La forêt mixte des Grands Lacs et du Saint-Laurent

Arbres	Conifères : pin rouge, pin blanc, pruche du Canada Quelques feuillus : bouleau jaune, érable, chêne
Faune	Mammifères : ours noir, loup, renard roux, orignal, cerf, castor, lièvre, rat musqué Oiseaux : bernache du Canada, canard colvert, gélinotte huppée, tourte Poissons : esturgeon, saumon, brochet, doré, achigan, touladi, anguille

Un loup.

Un hêtre.

La forêt de feuillus

Arbres	Feuillus : hêtre, orme, noyer noir, caryer, érable, chêne
Faune	Mammifères : ours noir, loup, renard roux, orignal, cerf, castor, lièvre Oiseaux : grand héron, bernache du Canada, canard colvert, tourte Poissons : esturgeon, truite, doré, achigan, touladi, corégone

Un renard roux.

Un climat continental et humide

Le Haut et le Bas-Canada jouissent d'un climat continental. Cela signifie que les changements de température entre l'hiver et l'été demeurent très importants. L'hiver est froid et long, tandis que l'été est chaud et plutôt court. Les deux colonies ont aussi un climat humide. Il y pleut régulièrement et il y neige beaucoup. Plus on se déplace vers l'est, c'est-à-dire vers l'océan Atlantique, et plus les **précipitations** sont abondantes.

précipitations

Chute d'eau provenant de l'atmosphère sous forme liquide (pluie, brouillard) ou solide (neige, grêle).

Climatogramme de Toronto

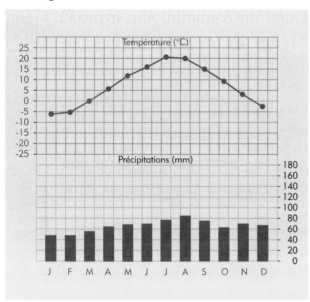

Regarde bien les deux climatogrammes ci-contre. Tu pourras constater les différences de climat entre le sud-ouest et le nord-est du territoire canadien.

Climatogramme de Baie-Comeau

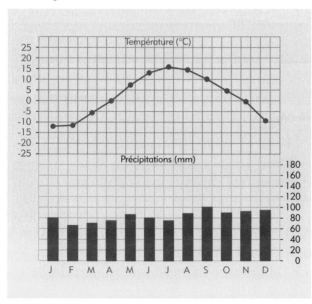

Le Québec et l'Ontario

QUÉBEC

Baie-Comeau

ONTARIO

Toronto

OCÉAN ATLANTIQUE

0   250   500 km

La population augmente rapidement

La population des deux Canadas augmente très vite. Vers 1820, on compte un peu plus de 500 000 personnes. Observe bien la courbe suivante. Elle représente la croissance de la population durant les premières décennies du 19e siècle.

La population des deux Canadas de 1806 à 1848

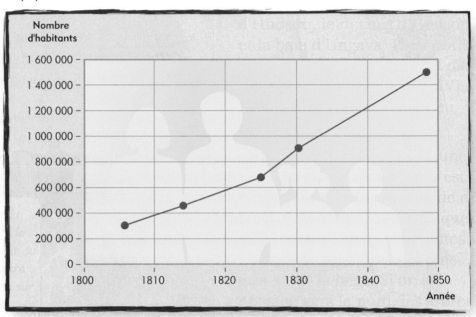

francophone
Qui parle la langue française.

majorité
Le plus grand nombre.

immigrant
Personne qui s'installe dans un pays différent du sien.

anglophone
Qui parle la langue anglaise.

minorité
Le plus petit nombre.

Les **francophones** habitent surtout le Bas-Canada où ils composent la **majorité** des habitants. La population francophone se développe uniquement en raison du grand nombre de naissances. Comme la vallée du Saint-Laurent est une colonie britannique depuis 1763, elle ne reçoit plus d'**immigrants** venant de France.

La population **anglophone**, quant à elle, est répartie dans les deux colonies. Elle constitue la **minorité** au Bas-Canada, où elle vit principalement dans les villes de Québec et de Montréal, dans la vallée de la rivière des Outaouais, dans les Cantons-de-l'Est et dans la région au sud de Montréal, près de la frontière des États-Unis. En revanche, les anglophones forment la majorité de la population du Haut-Canada.

Les nouvelles naissances et surtout l'immigration permettent à la population anglophone de grandir. D'où viennent les nouveaux arrivants? Ils arrivent des États-Unis et de la Grande-Bretagne.

La population canadienne
en 1806

320 000

Haut-
Canada
70 000

Bas-Canada
250 000

La population canadienne
en 1848

1 500 000

Haut-
Canada
725 000

Bas-
Canada
775 000

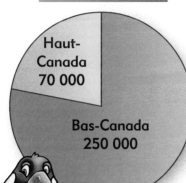

En trois décennies, la population du Haut-Canada, principalement constituée d'anglophones, prend toujours plus d'importance.

À la fin du 18ᵉ siècle, des fermiers **états-uniens** s'installent dans les Canadas, attirés par des terres à bon marché et parfois gratuites. À partir des années 1810, le nombre d'immigrants britanniques se multiplie. Ceux-ci fuient souvent la misère dans leur pays. Ils viennent d'Irlande, d'Écosse et d'Angleterre. Les Irlandais, d'origine modeste, forment le groupe le plus imposant. Jette un coup d'œil sur la carte de la page 3 pour mieux situer ces régions.

états-unien

Des États-Unis
d'Amérique.

Le Conestoga wagon, le véhicule servant au transport des fermiers venus des États-Unis.

Pour la seule année 1831, le port de Québec a accueilli 50 000 immigrants britanniques. Ce nombre représente deux fois la population totale de la ville !

Depuis plus de 200 ans, les Européens quittent leur pays pour venir vivre en Amérique du Nord. Or, la traversée de l'océan Atlantique au 19e siècle n'est pas de tout repos. Le voyage en mer est long et le beau temps n'est pas toujours au rendez-vous. Les voyageurs peu fortunés sont entassés sous le pont du navire.

Comme la plupart des Canadiens et des nouveaux immigrants vivent de l'agriculture, ils habitent principalement les terres fertiles de la vallée du Saint-Laurent, des Grands Lacs et de la région des Cantons-de-l'Est.

Vie politique

L'organisation politique de la société canadienne constitue une dure épreuve pour l'ensemble de la population. Dans le chapitre précédent, tu as été témoin de la conquête de la Nouvelle-France par la Grande-Bretagne en 1763, de l'arrivée des **Loyalistes** et de la création de la *Province of Quebec* par les nouveaux dirigeants britanniques. Tu apprendras les différentes étapes qui mèneront à la formation du Haut et du Bas-Canada.

Loyaliste

Colon venu des États-Unis et resté loyal, c'est-à-dire fidèle, au gouvernement de la Grande-Bretagne.

Une *Province* en colère

La colère gronde au sein des différentes communautés installées dans la *Province of Quebec*. Pourquoi sont-elles mécontentes ? Parce qu'elles ne possèdent pas une assemblée élue par la population. Plutôt prudente, la Grande-Bretagne donne à sa *Province* une nouvelle **constitution** : l'Acte constitutionnel de 1791. En lisant précédemment cet Acte constitutionnel, tu as appris que le territoire de la *Province of Quebec* est divisé en deux provinces : le Haut et le Bas-Canada.

constitution

Loi ou ensemble de règles qui établit l'organisation politique d'un pays ainsi que les droits et les devoirs de ses habitants.

Diviser pour mieux régner?

Tu sais que, grâce à l'Acte de 1791, chaque province est dirigée par un gouverneur nommé par le roi, deux conseils nommés par le gouverneur et une assemblée élue par la population. Au Bas-Canada, les lois britanniques sont maintenues, mais certaines lois de l'ancienne colonie française demeurent. Le Haut-Canada, quant à lui, obéit aux lois britanniques. La religion protestante est la religion officielle des deux Canadas, mais les Canadiens sont désormais libres de pratiquer la religion catholique.

Pourquoi sépare-t-on le territoire en deux provinces? Afin d'éviter des conflits entre les deux principales communautés d'origine et de culture différentes que sont les francophones catholiques et les anglophones protestants venus de Grande-Bretagne et des États-Unis.

Les premières élections dans le Haut et le Bas-Canada

En 1792, le Haut et le Bas-Canada ont droit à leurs premières élections. Les communautés francophone et anglophone choisissent leurs représentants à la Chambre d'assemblée.

Une scène à la Chambre d'assemblée du Bas-Canada.

Toutefois, les démarches de ces communautés n'ont pas porté fruit, car les pouvoirs des représentants élus demeurent très limités. Le gouverneur et ses conseillers ont toujours le dernier mot, c'est-à-dire qu'ils peuvent modifier ou annuler les décisions prises par les représentants sans consulter les membres de l'assemblée.

Or, tu verras plus loin qu'une telle indifférence de la part des dirigeants va créer des conflits importants, surtout dans le Bas-Canada.

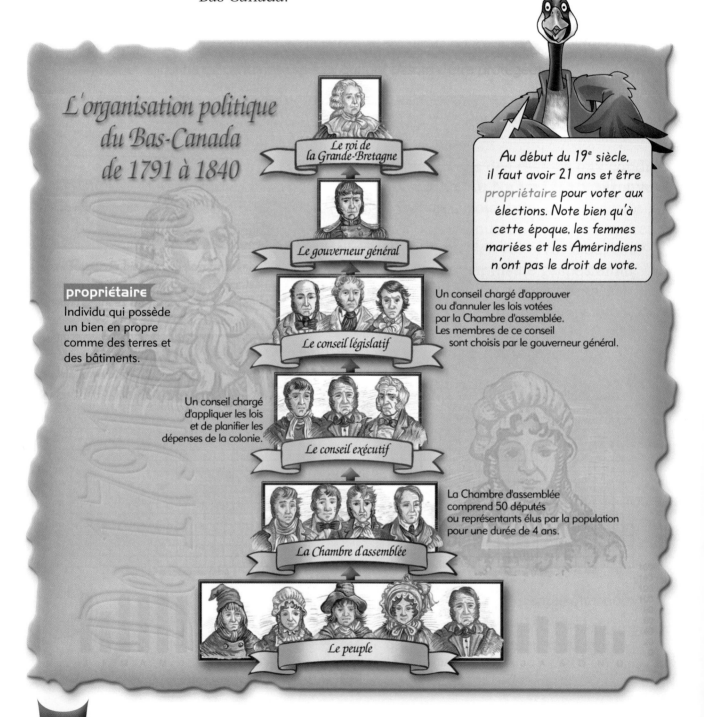

L'organisation politique du Bas-Canada de 1791 à 1840

Le roi de la Grande-Bretagne

Le gouverneur général

Le conseil législatif

Le conseil exécutif

La Chambre d'assemblée

Le peuple

Au début du 19ᵉ siècle, il faut avoir 21 ans et être *propriétaire* pour voter aux élections. Note bien qu'à cette époque, les femmes mariées et les Amérindiens n'ont pas le droit de vote.

propriétaire
Individu qui possède un bien en propre comme des terres et des bâtiments.

Un conseil chargé d'approuver ou d'annuler les lois votées par la Chambre d'assemblée. Les membres de ce conseil sont choisis par le gouverneur général.

Un conseil chargé d'appliquer les lois et de planifier les dépenses de la colonie.

La Chambre d'assemblée comprend 50 députés ou représentants élus par la population pour une durée de 4 ans.

Des rébellions pour avoir plus de liberté et de pain

Les colons du Haut et du Bas-Canada comptaient beaucoup sur leur assemblée pour établir la **démocratie** dans leur province respective. Comme tu as pu le constater, le gouverneur et les conseillers, qui ne sont pas élus par la population, peuvent gouverner comme bon leur semble. Au fil des années, le mécontentement des représentants ne cesse de grandir.

Les conseillers sont souvent de riches marchands britanniques ou de grands propriétaires **terriens**. Ils ne tiennent pas toujours compte des besoins des fermiers du Haut-Canada ou des Canadiens français du Bas-Canada. Autour de 1830, d'autres problèmes viennent s'ajouter aux querelles politiques comme les mauvaises récoltes de blé et les décès nombreux causés par le **choléra**.

En 1837 et en 1838, la situation tourne à la catastrophe, surtout au Bas-Canada. Les ventres affamés crient à l'injustice. Pour obtenir plus de pouvoir et de meilleures conditions de vie, de nombreux Canadiens, tant au Bas qu'au Haut-Canada, se rebellent en prenant la parole et les armes. Plusieurs d'entre eux sont tués par l'armée britannique, certains sont forcés de quitter le Bas-Canada, d'autres sont pendus.

démocratie
Système politique dans lequel le peuple possède et exerce le pouvoir, ou dans lequel les représentants élus par le peuple possèdent et exercent le pouvoir.

terrien
Qui possède des terres.

choléra
Grave infection contagieuse qui provoque des maux de ventre, des vomissements et des crampes.

La bataille de Saint-Eustache au nord de Montréal.

Les patriotes, des gens qu'on n'oublie pas

Qu'est-ce qu'un patriote ? C'est un homme ou une femme qui aime son pays et qui fait de grands efforts pour le servir en bon citoyen. La plupart des patriotes de 1837 et 1838 sont des cultivateurs et des artisans canadiens-français, certains sont d'origine irlandaise. Ils sont menés par des hommes politiques et des **gens de profession** qui les représentent. Ceux-ci organisent de grandes assemblées de protestation à travers le Bas-Canada et invitent la population à ne plus acheter de marchandises britanniques.

Aujourd'hui, la fête des patriotes, célébrée le troisième lundi du mois de mai, nous rappelle que ces hommes et ces femmes ont lutté et ont donné leur vie pour obtenir le droit de diriger leur pays dans leur langue, le français.

gens de profession

Personnes qui exercent un métier à caractère intellectuel, comme les notaires et les médecins. On les appelle également des professionnels.

La foule réagit bruyamment au discours d'un chef patriote, Louis-Joseph Papineau.

Activités économiques

À l'aube du 19ᵉ siècle, l'agriculture permet toujours à la population de se nourrir et de s'habiller. C'est également une période de grands changements pour le commerce, le développement de nouvelles activités et de nouveaux moyens de transport. Découvre ces transformations qui touchent à la fois la campagne et la ville.

Quatre saisons à la ferme

sédentaire

Population qui habite dans un lieu fixe.

Les Canadiens ainsi que les immigrants venus d'Europe et des États-Unis forment une population **sédentaire**. Vers 1820, la plupart d'entre eux sont des cultivateurs qui vivent du travail de la terre. Ce n'est pas surprenant, car neuf personnes sur dix habitent à la campagne.

Comme partout ailleurs, la vie **rurale** se déroule au rythme des saisons. Dans les pages suivantes, tu trouveras des tableaux qui illustrent les travaux des quatre saisons à la ferme.

rural
Qui concerne la vie à la campagne.

Une hache.

Les travaux du printemps	
Activité	**Description**
Fendre le bois.	Les hommes scient des bûches dans les troncs d'arbres coupés pendant l'hiver. Les bûches sont ensuite fendues en quartiers, à l'aide d'une hache, pour les mettre plus facilement dans le poêle. Les quartiers sont cordés pour mieux les sécher. Ce bois sert au chauffage et à la cuisson des aliments.
Fabriquer le savon.	L'habitante fabrique le savon nécessaire pour toute une année. Elle fait bouillir du gras animal, de l'eau, des cendres, de la résine de conifère et du sel.
Faire le grand ménage de la maison.	La mère et ses filles aèrent la maison. Elles secouent les tapis, les matelas et les couvertures. Elles lavent le poêle à bois, les planchers et les murs. Elles rangent aussi les vêtements d'hiver.
Faire sortir les animaux.	Après six mois dans l'étable, il est temps de faire sortir les poules, les vaches, les chevaux, les porcs et les moutons.
Labourer et semer les champs.	L'habitant enlève d'abord les pierres du sol. Ensuite, il laboure à l'aide d'une charrue tirée par une paire de chevaux ou de bœufs. Il retourne la terre du potager à l'aide d'une bêche. L'habitant sème surtout des pois et des céréales comme le blé, l'avoine et le seigle.
Retourner et semer le potager.	Dans le potager, la femme sème des légumes, des fines herbes, du maïs et du tabac. Toute la famille sème aussi des pommes de terre.

Des vaches.

Des poules.

Les semailles.

Les cultivateurs plus fortunés engagent des ouvriers agricoles. Ces ouvriers vivent à la ferme et s'occupent des travaux les plus durs comme l'enlèvement des pierres.

Un javelier.

grange

Bâtiment qui sert à abriter les récoltes de foin, de blé, etc.

sarcler

Débarrasser le potager des mauvaises herbes à l'aide d'un outil.

Les travaux de l'été	
Activité	**Description**
Nettoyer l'étable.	Pour prévenir les maladies des animaux, toute la famille participe au ménage de l'étable : elle aère, balaie, lave les murs et les planchers. Enfin, elle chasse les rats à l'aide de produits désinfectants.
Construire ou réparer les clôtures et les bâtiments de la ferme.	Pour empêcher les animaux de manger les céréales des champs et les légumes du potager, l'homme installe des clôtures de bois. Un cultivateur a parfois besoin d'un nouveau bâtiment, une **grange** par exemple. Il la construit aidé de sa famille et de ses voisins.
Faire les foins.	Les hommes coupent le foin à l'aide d'une faux. Avec des râteaux et des fourches, les femmes et les enfants retournent le foin pour le faire sécher et le mettent en tas.
Entretenir le potager.	Tous les jours, l'habitante arrose, **sarcle** et chasse les insectes du potager. Elle commence à récolter des légumes dès la fin du mois de juin.
Récolter les céréales.	Toute la famille participe à la moisson. Les hommes coupent les céréales à l'aide d'une faucille et d'un javelier. Les femmes et les enfants attachent les céréales en gerbes pour les faire sécher.

Cultivateur aiguisant sa faux.

Des hommes faisant les foins.

Les travaux de l'automne

Activité	Description
Faire le restant des récoltes.	On récolte le maïs, le tabac, la citrouille, le chou ainsi que les légumes-racines comme la pomme de terre et la carotte. C'est aussi le temps de cueillir les pommes, les poires et les prunes. Enfin, toute la famille se réunit pour arracher le lin, une plante textile avec laquelle on fait des vêtements, des draps ou des serviettes.
Labourer les champs.	Le cultivateur laboure et épand du fumier pour engraisser le sol de son champ et obtenir de meilleures récoltes.
Faire le grand lavage.	Les femmes lavent tout le linge de la maison : nappes, draps, sous-vêtements, chemises, etc. Elles le font tremper, le savonnent, le font bouillir, le rincent puis le font sécher.
Transformer la laine des moutons et le lin.	Les femmes cardent la laine et le lin, puis elles les filent à l'aide d'un rouet. Elles tissent ensuite les fils obtenus pour en faire un tissu. La laine sert aussi au tricot.
Mettre la nourriture en conserve.	Les femmes s'occupent d'entreposer, de faire sécher ou de mettre en conserve les fines herbes et les précieux légumes du potager.

fumier
Engrais naturel à base de paille et d'excréments d'animaux.

carder
Peigner, démêler les fils de laine.

dévidoir

Un rouet.

Une femme prépare la laine pour le tissage et le tricot.

Le battage des céréales.

fléau

Instrument composé de deux bouts de bois reliés à l'aide de courroies.

Les travaux de l'hiver

Activité	Description
Fabriquer des meubles, des jouets et des outils.	Les hommes fabriquent et réparent les meubles (table, chaise, berceau, etc.) et les pièces en bois des outils comme les manches de hache.
Confectionner des vêtements.	Avec la laine et le lin tissés, les femmes cousent des vêtements pour toute la famille.
Faire boucherie.	Le cochon et la volaille (poulet, oie, canard) sont abattus. Le froid de l'hiver congèlera la viande.
Battre les céréales.	Lorsque les céréales sont bien sèches, les hommes les disposent sur le plancher de la grange. Ensuite, ils battent les épis avec un **fléau** pour séparer les grains de leur enveloppe et de leur tige. Le grain est ensuite apporté au moulin pour en faire de la farine.
Couper le bois.	Les hommes vont au bout de leur terre pour couper les arbres qui serviront au chauffage et à la construction l'année suivante. Certains cultivateurs vendent leur bois. D'autres vont le couper sur les terres d'un marchand britannique.

Un cheval de bois.

Un camp de bûcherons.

Pas facile le travail de bûcheron ! Le gel, la neige ou la pluie n'arrête pas ces hommes qui travaillent six jours sur sept.

Les métiers de la campagne

Même s'ils sont les plus nombreux, les cultivateurs ne sont pas les seuls à habiter la campagne. Au début du 19ᵉ siècle, les villages deviennent plus importants. Une population croissante d'artisans, de marchands et de gens de profession viennent s'y installer pour offrir leurs services aux villageois et aux cultivateurs.

Jette un coup d'œil sur le tableau suivant pour découvrir quelques-uns des métiers pratiqués dans la campagne canadienne ainsi qu'à la ville au 19ᵉ siècle.

Quelques métiers exercés au 19ᵉ siècle	
Métier	**Description**
Marchand général	vend une grande variété de marchandises.
Notaire	écrit des documents importants comme les contrats de mariage ou les contrats de vente.
Médecin	soigne les malades.
Maîtresse ou maître d'école	fait la classe aux enfants du primaire.
Aubergiste	tient une auberge où l'on peut manger et dormir.
Maître de poste	reçoit, trie et expédie le courrier et les journaux.
Bedeau	s'occupe de l'entretien de l'église.
Forgeron	travaille le fer au marteau et au feu.
Cordonnier	fabrique et vend des chaussures et des bottes.
Menuisier	travaille le bois pour en faire des meubles, des portes, des fenêtres, etc.
Tanneur	prépare les peaux d'animaux pour en faire du cuir.
Tonnelier	fabrique et vend des tonneaux et des seaux.
Potier	fabrique et vend des objets faits en terre cuite.
Meunier	fabrique de la farine.
Boulanger	fabrique et vend du pain.

Autrefois, il y avait toutes sortes de métiers ambulants. Des artisans allaient de porte en porte pour réparer la vaisselle, les ustensiles et les poêles, au grand bonheur des habitants qui n'avaient pas à racheter du neuf.

Un magasin au cœur du village

Pas très loin de l'église, de la forge et de la boulange-rie, le marchand du village s'est fait construire une grande maison de bois. Dans une pièce du rez-de-chaussée, il a installé son magasin général. Par la fenêtre, on aperçoit des étagères, des tonneaux et des comptoirs vitrés rem-plis d'un vaste choix de marchandises.

L'intérieur d'un magasin général.

Le marchand propose des articles que les habitants ne produisent pas ou qu'ils ne fabriquent pas eux-mêmes. Le magasin général renferme des pro-duits alimentaires venus d'ailleurs (thé, riz, sel, épices, mélasse, sucre), des articles de couture (tissus de coton, rubans, boutons, dentelles, aiguilles), des casseroles, de la vaisselle de faïence, des médicaments et bien d'autres choses encore.

faïence

Objet en terre cuite recouvert de vernis ou d'émail.

> Bien souvent, le marchand devait faire crédit, c'est-à-dire qu'il n'exigeait pas d'être payé immédiatement. En effet, la plupart de ses clients étaient des agriculteurs qui payaient leur compte à l'automne, après les récoltes.

Chasser et pêcher, pas toujours pour le plaisir

Les colons chassent et pêchent pendant toute l'année. Pour beaucoup d'habitants de la vallée du Saint-Laurent, la chasse et la pêche demeurent des activités de loisir, car ils se nour-rissent principalement des produits de la ferme. En revanche, les colons qui défrichent leurs terres consomment plus de **gibier** et de poisson en attendant la saison des récoltes.

gibier

Ensemble des animaux que l'on chasse pour leur viande.

La tourte était une espèce de pigeon sauvage, très abondante en Amérique du Nord. Malheureusement, elle a été tellement chassée au 19ᵉ siècle qu'elle est aujourd'hui disparue.

Une tourte.

On chasse surtout le rat musqué, le lièvre et les oiseaux migrateurs comme la tourte et la bernache. Chassés de manière excessive aux 17ᵉ et 18ᵉ siècles, l'orignal et le castor restent très appréciés.

Dans certaines régions de l'est, comme la Gaspésie, les habitants prennent surtout de la morue et du hareng. Des marchands britanniques et états-uniens leur achètent des poissons salés et séchés à très bas prix. Ils vivent donc pauvrement de la pêche.

La morue est pêchée à la ligne avec un hameçon. Le hareng est piégé à l'aide d'une clôture faite de piquets et de branchages plantés dans l'eau. Cette façon de prendre le poisson s'appelle la pêche à **fascines**. L'anguille et le phoque sont capturés de la même manière.

La fourrure de ce petit rat vivant dans l'eau est très recherchée aux États-Unis.

Un rat musqué.

La chasse se fait aussi au piège métallique et au fusil.

fascine
Assemblage de branchages.

Pêche à fascines.

La fin de la traite des fourrures

À la fin du 18e siècle, les marchands de fourrure de Montréal ont un **concurrent** bien établi : la Compagnie de la Baie d'Hudson. C'est une compagnie britannique créée au 17e siècle pour le commerce de la fourrure, tout au nord, dans la région de la baie d'Hudson. Pour être plus puissants, les marchands de Montréal se réunissent et fondent à leur tour une compagnie, appelée la Compagnie du Nord-Ouest. Chaque compagnie veut agrandir son territoire pour obtenir plus de fourrures. La compétition devient tellement féroce que les employés des deux compagnies se font parfois la lutte à coups de fusil !

concurrent
Personne ou compagnie en compétition avec d'autres.

La Bataille des Sept Chênes, en 1816.

Un haut-de-forme en soie.

Pour mettre fin à cette guerre des fourrures, le gouvernement britannique trouve une solution : réunir les deux compagnies en une seule. En 1821, la nouvelle Compagnie de la Baie d'Hudson ferme la longue route commerciale qui relie les Grands Lacs à Montréal. Dorénavant, les fourrures seront envoyées en Europe directement de la baie d'Hudson, un territoire qui ne fait pas partie des Canadas. Montréal cesse alors d'être un centre de traite des fourrures.

Après 1840, le chapeau de feutre de castor n'est plus du tout à la mode. Ces messieurs préfèrent porter le haut-de-forme en soie. Heureusement, car il ne reste presque plus de castors.

Toujours plus de billes et d'épis

La fin du commerce de la fourrure ne signifie pas la fin du commerce dans les deux colonies. Tu sais déjà qu'à la fin du 18e siècle la Grande-Bretagne s'intéresse au blé et aux forêts des Canadas.

La place du marché, un lieu d'échanges entre les gens de la ville et les cultivateurs.

Le blé, c'est principalement l'affaire du Haut-Canada. Les terres fertiles y sont neuves et abondantes. À partir des années 1790, les agriculteurs produisent plus de blé qu'ils n'en ont besoin pour vivre. Ils **exportent** leurs surplus vers la Grande-Bretagne et surtout vers le Bas-Canada.

Les Canadiens de la vallée du Saint-Laurent produisent aussi du blé, mais pas assez pour le commerce, car leurs terres sont appauvries après deux siècles de culture sans engrais. Lorsque les récoltes sont mauvaises, le Bas-Canada a besoin du blé de ses voisins pour nourrir son importante population. En échange, le Bas-Canada envoie au Haut-Canada des marchandises qui arrivent de l'étranger, par le port de Québec, comme le thé, le coton et le sucre.

Jusqu'au début du 19ᵉ siècle, la Grande-Bretagne achète surtout son bois dans les pays du nord de l'Europe. Mais une nouvelle guerre avec la France vient en bouleverser le commerce. À cette époque, les Français contrôlent une grande partie de l'Europe. Ils empêchent alors les Britanniques de commercer dans les ports du continent européen. Isolée, la Grande-Bretagne doit se tourner vers les ressources de ses colonies d'Amérique.

exporter

Envoyer et vendre des marchandises à l'extérieur d'une colonie ou d'un pays.

En ces temps-là, il y a plusieurs guerres en Europe. Ce sont les guerres napoléoniennes, du nom de l'empereur de France, Napoléon 1ᵉʳ. Napoléon ne voulait rien de moins que de conquérir toute l'Europe.

La drave ou le flottage du bois

Les chantiers forestiers sont situés sur les rives du fleuve Saint-Laurent et des Grands Lacs, et surtout près des principaux affluents du fleuve comme les rivières des Outaouais, Saint-Maurice et Saguenay. Les bûcherons jettent les billes de bois à la rivière et les assemblent pour former de grands radeaux.

bille
Pièce de bois faite d'un tronc d'arbre débarrassé de ses branches.

Les draveurs qui conduisent ces radeaux doivent parfois naviguer quelques semaines avant d'arriver au port de Québec. Le bois est ensuite chargé sur des bateaux et expédié en Grande-Bretagne. Aujourd'hui, les camions transportent les billes plus rapidement à destination, et le flottage du bois sur les rivières est interdit.

Les draveurs sont des hommes courageux qui doivent lutter contre les eaux glaciales des rivières. Sans compter qu'ils risquent souvent la noyade.

Des draveurs.

Le commerce du bois canadien connaît alors un développement spectaculaire. La Grande-Bretagne a besoin des pins et des chênes canadiens pour construire ses navires et ses villes. Le bois devient la marchandise d'exportation la plus importante.

Les premières manufactures

La croissance de la population et le commerce du bois amènent la prospérité dans les deux Canadas. En effet, les chantiers forestiers réclament beaucoup de bûcherons. Ces milliers d'hommes sont souvent des agriculteurs ou des pêcheurs qui ne travaillent pas durant l'hiver. Avec la coupe du bois, ils gagnent un revenu supplémentaire. Cet argent leur permet d'acheter plus de nourriture, de vêtements, de meubles et d'outils.

Pour répondre aux besoins d'une population grandissante, des ateliers et des **manufactures** apparaissent près des villages et des villes. On y fabrique de la farine, de la bière, des tissus, des chaussures, des poêles, de la poterie, des chandelles, des briques, de l'huile pour l'éclairage, des canots et bien d'autres produits.

manufacture

Grand établissement qui emploie plusieurs personnes et où l'on transforme une matière première, comme le blé ou la laine.

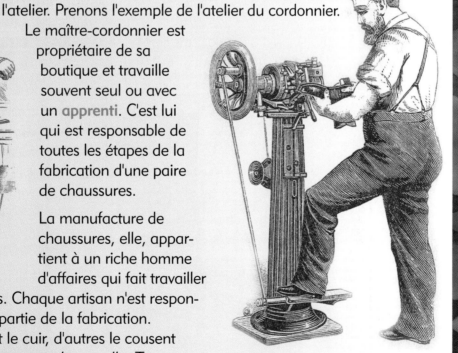

Travailler plus vite pour produire plus

Le travail à la manufacture n'est plus le même que dans l'atelier. Prenons l'exemple de l'atelier du cordonnier. Le maître-cordonnier est propriétaire de sa boutique et travaille souvent seul ou avec un apprenti. C'est lui qui est responsable de toutes les étapes de la fabrication d'une paire de chaussures.

La manufacture de chaussures, elle, appartient à un riche homme d'affaires qui fait travailler plusieurs artisans. Chaque artisan n'est responsable que d'une partie de la fabrication. Certains coupent le cuir, d'autres le cousent et d'autres encore posent la semelle. Tu comprends qu'en une journée la manufacture produit beaucoup plus de chaussures que le maître-cordonnier.

Dans l'atelier.

Dans la manufacture de chaussures.

apprenti

Personne qui apprend un métier avec un maître.

Le travail des femmes à la ville

À la ville ou à la campagne, les Canadiennes veillent aux travaux de la maison et prennent soin des enfants. Mais savais-tu qu'en 1825, à Montréal, une femme sur cinq occupe également un autre emploi ? Jusqu'à leur mariage, plusieurs d'entre elles travaillent comme domestiques. Du matin au soir, elles font le ménage, la cuisine et le service pour une famille aisée.

D'autres femmes sont enseignantes, couturières, gouvernantes, sages-femmes ou modistes.

gouvernante
Femme à qui l'on confie la garde de ses enfants.

sage-femme
Femme qui a pour métier d'accoucher les femmes.

modiste
Personne qui fabrique et vend des chapeaux de femme.

madrier
Poutre, planche très épaisse.

naval
Qui concerne les navires et la navigation.

Chantier naval de Québec.

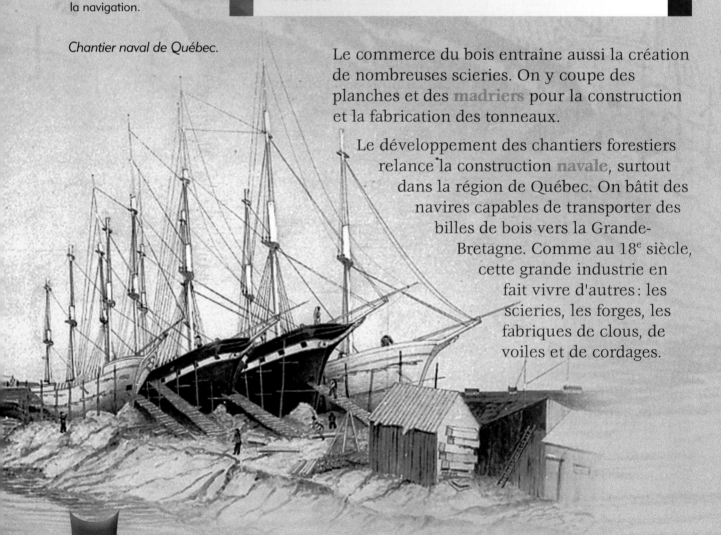

Le commerce du bois entraîne aussi la création de nombreuses scieries. On y coupe des planches et des madriers pour la construction et la fabrication des tonneaux.

Le développement des chantiers forestiers relance la construction navale, surtout dans la région de Québec. On bâtit des navires capables de transporter des billes de bois vers la Grande-Bretagne. Comme au 18e siècle, cette grande industrie en fait vivre d'autres : les scieries, les forges, les fabriques de clous, de voiles et de cordages.

Du nouveau dans les transports

Comme tu l'as déjà remarqué, les cours d'eau et les lacs demeurent les « routes » les plus importantes pour les habitants de la vallée du Saint-Laurent et des Grands Lacs. Cependant, les **rapides**, les chutes et les eaux peu profondes empêchent ou ralentissent le transport des marchandises par bateau.

Pour faciliter le transport de grandes quantités de bois et de blé, on fait creuser des canaux, qui constituent de véritables rivières artificielles. Regarde la carte. En 1824, un premier canal est creusé dans l'île de Montréal pour éviter les rapides de Lachine dans le fleuve Saint-Laurent.

> **rapide**
>
> Partie d'un cours d'eau où le courant est rapide et tourbillonnant.

> Avant l'aménagement des canaux, les hommes transportaient les marchandises en canot ou en barque. S'ils rencontraient une chute ou un rapide, ils devaient tout transporter par voie de terre, sur leur dos ou à l'aide de charrettes sur plusieurs kilomètres.

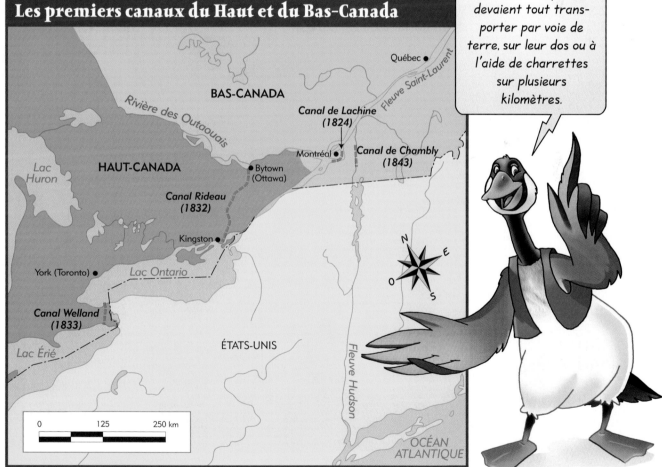

Les premiers canaux du Haut et du Bas-Canada

Au début du 19ᵉ siècle, la grande nouveauté dans le domaine du transport **fluvial**, c'est le bateau à vapeur. Grâce à cette merveille technique, on n'a plus besoin de la force humaine ni de celle du vent pour avancer sur l'eau.

> **fluvial**
>
> Relatif aux fleuves et aux rivières.

L'écluse d'un canal, un escalier nouveau genre

Lorsqu'il y a une chute ou des rapides, le terrain s'incline parfois très brusquement. Il faut donc un moyen pour faire monter et descendre les bateaux en douceur. Ce mécanisme ingénieux s'appelle une écluse.

❶ Les portes de l'écluse s'ouvrent pour laisser entrer le navire.

❷ On fait monter le niveau de l'eau dans le bassin de l'écluse. Le navire s'élève doucement. Dans l'autre sens, on fait descendre le niveau de l'eau et le navire descend.

❸ À l'autre bout du bassin, les portes s'ouvrent et le navire continue sa route.

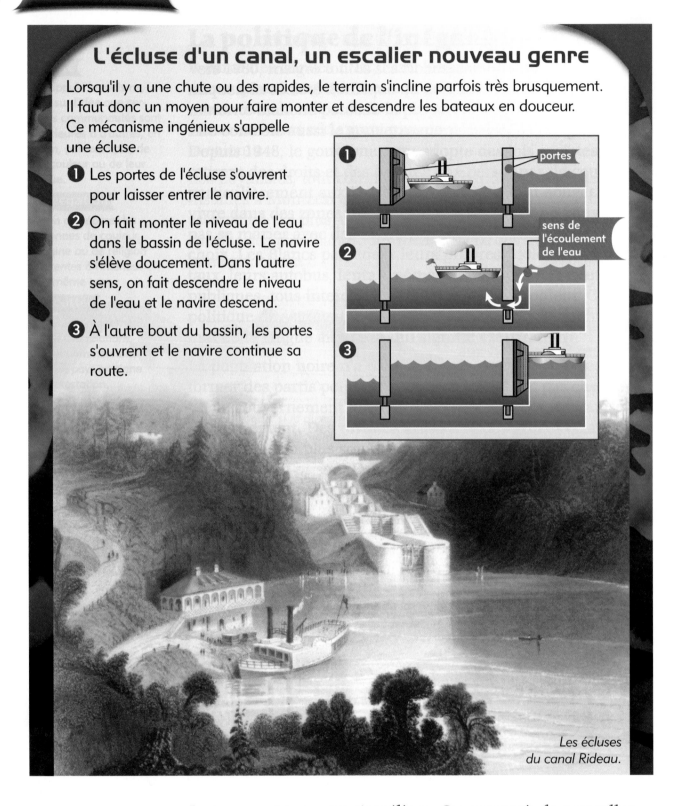

Les écluses du canal Rideau.

Le transport terrestre s'améliore. On construit de nouvelles routes qui longent les cours d'eau. Mais la pluie peut les rendre boueuses et impropres à la circulation. On s'y déplace en voiture tirée par un ou plusieurs chevaux. En hiver, on utilise une voiture équipée de patins pour glisser sur la neige.

Une voiture hippomobile à patins.

La locomotive à vapeur, capable de tirer des wagons, est un moyen très efficace de transporter des marchandises sans passer par un cours d'eau. Le premier chemin de fer canadien entre en service en 1836. Il est construit entre La Prairie, au sud de Montréal, et Saint-Jean sur la rivière Richelieu. La première locomotive parcourt les 23 kilomètres qui séparent ces villages en 2 heures!

Quelle époque! Des bateaux et des locomotives à vapeur! Je te l'accorde, ces machines ne sont pas très rapides mais, tu verras, elles seront perfectionnées. Le monde des transports ne sera plus jamais le même!

La première locomotive: la Dorchester.

Vie en société

Comment la société canadienne s'organise-t-elle vers 1820 ? Dans les pages suivantes, tu vas découvrir la vie familiale et les différents groupes qui composent la société d'autrefois. La présence de nombreux immigrants et l'augmentation de la population vont changer la vie **urbaine** et rurale. Tu constateras que des écarts apparaissent entre les francophones et les anglophones ainsi qu'entre les pauvres et les riches.

urbain

Qui est de la ville.

Une société patriarcale

La famille demeure la base de la société des deux Canadas. Il n'est pas rare, dans les campagnes, de voir des familles de plus de 10 enfants. Les enfants plus âgés prennent soin de leurs jeunes frères et sœurs. De plus, ils apportent une aide précieuse au travail de leurs parents. Ainsi, les enfants vont à l'école lorsque le travail de la ferme le permet. Ils apprennent la lecture, l'écriture, le calcul et la religion.

La société canadienne est patriarcale. Qu'est-ce que cela signifie ? Cela veut dire que le père est désigné comme le chef de famille. Les lois britanniques ne donnent pas plus de droits aux femmes que les lois françaises. Avant le mariage, la Canadienne est soumise à son père. Une fois mariée, elle doit obéir à son mari.

À la campagne, les élèves étudient très peu. Les quelques collèges secondaires sont à la ville et coûtent cher. L'ouverture de l'Université McGill, la première université, remonte à 1829.

Une reconstitution d'une classe dans une école de rang.

Une société en forme de pyramide

La société canadienne est organisée à la manière d'une pyramide. Tout en haut de la pyramide se trouve un groupe d'individus privilégiés qui possède le pouvoir, l'argent et des terres. Il est formé par les dirigeants des colonies comme le gouverneur, les membres anglophones des conseils ou les juges. Le **clergé** protestant se situe aussi en haut de la pyramide.

Les bourgeois sont des personnes qui ont du **prestige** dans la société grâce à leur fortune ou à leur éducation. La bourgeoisie d'affaires est composée de marchands et de banquiers d'origine britannique. Elle contrôle le commerce du bois et fait construire des canaux et des chemins de fer. La bourgeoisie professionnelle canadienne, moins fortunée, comprend des médecins, des avocats et des notaires. Comme les hommes d'affaires, plusieurs de ces professionnels feront des carrières en politique. Les **seigneurs** qui possèdent encore des terres et de l'argent conservent une partie de leur pouvoir.

Juste en dessous, le clergé catholique qui, lui, n'a plus beaucoup de pouvoir. Au bas de la pyramide se trouve le peuple qui regroupe les artisans, les cultivateurs et les ouvriers.

clergé
Ensemble des responsables de l'Église.

prestige
Le fait d'imposer aux autres le respect et l'admiration.

seigneur
Une personne fortunée, un militaire ou une communauté religieuse qui possède une grande terre appelée seigneurie.

La société dans le Bas-Canada, vers 1820

Le gouverneur général

La bourgeoisie d'affaires

La bourgeoisie professionnelle et les seigneurs

Le clergé catholique

Le peuple

Une seigneurie.

Les deux visages de la campagne

Autrefois, les dirigeants de la Nouvelle-France avaient divisé la vallée du Saint-Laurent en seigneuries. Or, au début du 19ᵉ siècle, ces seigneuries existent toujours.

La seigneurie est une grande bande de terre étroite qui débouche sur un cours d'eau. Sa partie centrale est réservée au domaine du seigneur. On y trouve un manoir, un moulin ainsi qu'une église.

Au fil du temps, des artisans, des marchands et des professionnels achètent de petits bouts du domaine seigneurial pour faire des affaires à la campagne. On assiste ainsi à l'apparition des villages tels qu'on les connaît aujourd'hui.

Le seigneur distribue gratuitement des **concessions** aux colons qui veulent s'établir. Avec le temps, toutes les concessions sont distribuées et il n'y en a plus de disponible. Certaines seigneuries deviennent **surpeuplées**. Certains jeunes gens décident de partir plus au nord ou plus au sud pour défricher de nouvelles terres. Les mêmes travaux pénibles attendent les immigrants, car les terres qu'ils obtiennent sont complètement recouvertes de forêts.

Les dirigeants britanniques, quant à eux, divisent les terres comme en Grande-Bretagne. Le canton est un grand carré de 16 kilomètres de côté. Chaque canton est divisé en petits lots rectangulaires. Le découpage ne tient pas compte de l'emplacement des cours d'eau, mais tous les lots sont accessibles par un chemin de terre. Le colon reçoit gratuitement un lot. Contrairement au **censitaire**, l'habitant d'un canton n'a rien à payer à un seigneur. Il devient le propriétaire de sa terre.

concession
Partie d'une seigneurie en forme de rectangle.

surpeuplé
Où il y a trop de monde pour l'espace offert.

censitaire
Habitant d'une seigneurie qui doit payer le cens, une sorte de loyer à verser au seigneur.

Lot

Habitations

École

Église

Chemins

Division d'une partie d'un canton.

Se loger à la campagne

Au 19ᵉ siècle, dans les régions des deux Canadas, on construit des habitations toutes simples en **pièce sur pièce** avec le bois des terres défrichées. Dans les régions plus développées, on agrandit les anciennes maisons et on construit du neuf. On bâtit des maisons en pierre taillée ou encore faites avec des planches et des madriers bien droits.

Une maison pièce sur pièce.

La maison de campagne au Bas-Canada change d'apparence. Une grande galerie protégée par un avant-toit recourbé apparaît à la façade. Sa porte principale est placée bien au centre et s'ouvre sur un escalier qui monte au grenier et aux chambres des enfants, sous le toit. À l'intérieur, l'espace est plus divisé qu'autrefois. Au rez-de-chaussée, on trouve une cuisine, un salon, la chambre des parents et parfois une salle à manger ou un bureau.

pièce sur pièce

Méthode de construction qui consiste à empiler des troncs d'arbres ou des madriers les uns sur les autres.

> Les habitants aisés de la campagne ajoutent une cuisine d'été sur le côté ou à l'arrière de leur demeure. Ainsi, durant la belle saison, la femme peut cuisiner sans chauffer toute la maisonnée.

Une maison à la campagne.

Les quartiers où habitent les marchands, les professionnels et les artisans renferment des maisons en rangées plus grandes et plus hautes. Il y a parfois des boutiques au rez-de-chaussée.

Des villes de plus en plus grandes

Autour de 1820, les villes ne sont pas très nombreuses dans les deux Canadas, mais elles grandissent rapidement. En fait, on parle surtout de Montréal et de Québec.

La ville se transforme grâce à l'accroissement de la population et au développement des activités économiques. La vieille ville s'agrandit et commence à se diviser en quartiers. Ce n'est toujours pas la grande ville et la campagne n'est jamais très loin.

Les quartiers situés près du port, avec leurs entrepôts remplis de marchandises et leurs industries, souffrent de la pauvreté. C'est là qu'habitent les gens de passage comme les marins et les bûcherons ainsi que les familles à faible revenu des ouvriers francophones et des immigrants irlandais.

La plupart des rues sont étroites, sales et bruyantes. Comme au 18e siècle, les gens y laissent courir leurs porcs et leurs poules. Les maisons en rangées abritent des logements parfois surpeuplés.

Pour assurer la sécurité de la population, on commence à éclairer les rues avec des lampadaires. Ceux-ci fonctionnent à l'huile de baleine ou de phoque. De nos jours, comment éclaire-t-on les rues?

Un quartier populaire de Québec.

Une ville dangereuse

Les conditions de vie à la ville sont parfois très difficiles. Les rues et les cours sont remplies de déchets. La qualité de l'eau à boire est mauvaise. Et parmi les milliers d'immigrants qui arrivent au port, plusieurs sont malades. C'est un lieu idéal pour le développement de maladies contagieuses comme le choléra et la **variole**.

variole
Maladie contagieuse très grave.

Un autre danger guette aussi les habitants des villes : le feu. L'incendie s'étend facilement d'une habitation à l'autre puisque les maisons faites de bois sont en rangées et que les rues sont étroites. Pour ajouter au drame, il n'y a pas d'eau courante pour éteindre rapidement les flammes. En conséquence, des milliers de personnes se retrouvent à la rue.

L'incendie de Québec en juin 1845.

Savoir s'amuser

Même s'ils travaillent très fort, les Canadiens savent se divertir, surtout en hiver lorsqu'il y a moins de travail. Ils aiment se rencontrer près du feu pour une veillée en famille ou entre voisins. On se raconte des histoires, on joue aux cartes ou aux dames et on fume une pipe.

Les colons adorent danser. Ils adoptent rapidement les danses et les airs de violon des immigrants irlandais qui arrivent au début du 19ᵉ siècle.

Des villageois jouent aux dames.

Une partie de curling à Montréal sur le fleuve gelé.

Les marchands d'origine britannique pratiquent des sports qui vont devenir très populaires au pays : les courses de chevaux et de bateaux, le golf, la boxe et le curling.

Vie culturelle

La vie des colons se passe à travailler et à entretenir de bonnes relations avec leur famille, leurs amis et leurs voisins. L'histoire de la société canadienne, c'est aussi celle qui raconte l'alimentation, l'habillement, les croyances et les créations artistiques des femmes et des hommes qui la composent. À toi de les découvrir.

Du nouveau à la table

La présence des Britanniques dans la vallée du Saint-Laurent entraîne des changements dans les habitudes alimentaires des Canadiens. La plus grande nouveauté demeure l'arrivée de la pomme de terre dans les assiettes. Au début, elle remplace le pain lorsque les récoltes de blé sont mauvaises. Puis, petit à petit, la pomme de terre devient un légume très populaire. Les colons consomment encore du pain, mais beaucoup moins qu'avant.

Les Canadiens français apprécient beaucoup la viande de porc. Cet animal, abattu à la fin de l'automne, se mange de la tête à la queue. Les femmes en font toutes sortes de mets comme la tourtière, le ragoût, le **boudin**, la saucisse et les cretons. Les colons d'origine britannique font connaître le fromage cheddar, la viande de bœuf et d'agneau. La volaille, les produits de la chasse et de la pêche, les légumes, les fruits du potager et le sirop d'érable complètent le menu.

Depuis le 17ᵉ siècle, les méthodes de conservation des aliments n'ont pas beaucoup changé. Les colons utilisent différents moyens pour conserver leur nourriture jusqu'à l'été suivant. Ils salent, sucrent, sèchent, fument, congèlent ou placent les aliments au frais dans leur cave.

Un poêle en fonte.

boudin
Sorte de grosse saucisse faite de sang et de gras de porc assaisonnés.

Au 19ᵉ siècle, on cultive les petits fruits sauvages, comme la fraise et la framboise, dans le potager. Les confitures faites avec ces fruits sont si précieuses qu'on les garde pour les grandes occasions.

Les saveurs venues d'ailleurs

La Grande-Bretagne commerce aussi avec ses autres colonies. Elle achète des alcools, du café et du sucre provenant des Antilles ainsi que du thé et des épices d'Asie. Ces produits se retrouvent dans les épiceries et les magasins généraux des deux Canadas.

Les riches bourgeois de Montréal et de Québec peuvent se régaler de vins d'Europe, d'oranges de la Floride et d'huîtres de New York.

Au 19ᵉ siècle, on trouve aussi à Montréal de la sauce de soja faite en Chine.

Mode européenne et mode canadienne

justaucorps
Longue veste ajustée à la taille.

corset
Sous-vêtement rigide qui serre le ventre et la poitrine des femmes.

Au début du 19ᵉ siècle, le costume est beaucoup plus simple qu'autrefois. Finis la perruque, la dentelle et le **justaucorps** richement orné pour les hommes! Finis la coiffure décorée de gros plis de dentelle, les jupes portées l'une sur l'autre et le **corset** gênant pour les femmes!

Observe bien ce portrait d'une famille bourgeoise de la ville de Québec. Tu y découvriras tous les éléments de la nouvelle mode européenne.

La famille Woosley peinte par W. Berczy en 1809.

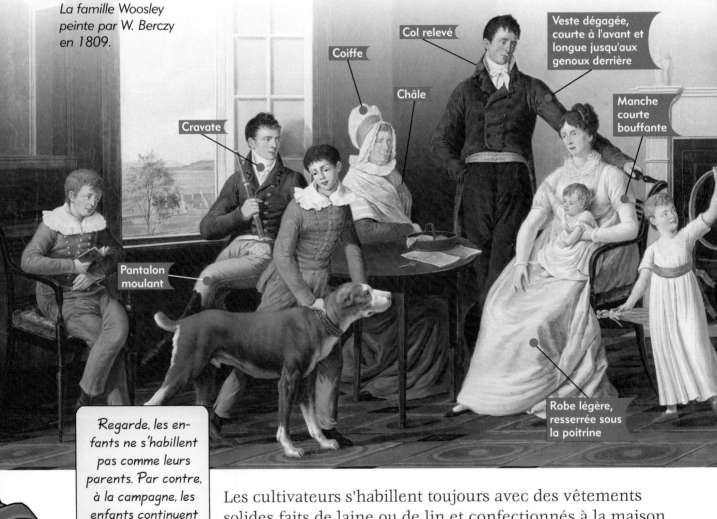

Col relevé

Coiffe

Veste dégagée, courte à l'avant et longue jusqu'aux genoux derrière

Châle

Manche courte bouffante

Cravate

Pantalon moulant

Robe légère, resserrée sous la poitrine

Regarde, les enfants ne s'habillent pas comme leurs parents. Par contre, à la campagne, les enfants continuent de se vêtir comme les adultes.

Les cultivateurs s'habillent toujours avec des vêtements solides faits de laine ou de lin et confectionnés à la maison. L'homme porte une chemise, une veste et un large pantalon confortable pour les travaux des champs. Il est souvent coiffé d'une tuque. Par temps froid, il enfile un capot de laine muni d'un capuchon et serré à la taille par une grande ceinture tressée, appelée ceinture fléchée.

La femme canadienne s'habille d'une chemise, d'un jupon, d'une longue jupe et d'un tablier. Elle porte parfois une robe, à manches longues, qui descend jusqu'aux mollets. Elle se coiffe d'un bonnet. Lorsqu'il fait plus frais, elle enfile un **corsage** ou met un châle sur ses épaules. En hiver, elle revêt une longue cape munie d'un capuchon.

> La ceinture fléchée protégeait du froid et maintenait le dos bien droit. Ainsi, l'homme qui transportait de lourdes charges, comme celle du bois, évitait les blessures au dos.

Un habitant vêtu d'un capot et d'une ceinture fléchée.

Les catholiques et les protestants

Au moment de la conquête du territoire par la Grande-Bretagne, les Canadiens sont presque tous catholiques. De leur côté, les immigrants britanniques et états-uniens pratiquent différentes religions. On dénombre plusieurs nouveaux arrivants de religion catholique, mais la plupart sont protestants.

Comme tu l'as vu précédemment, les dirigeants britanniques essaient d'imposer la religion protestante dans les deux Canadas. Cela ne pose pas de problème dans le Haut-Canada, où la plupart des colons la pratiquent déjà. Mais le Bas-Canada comprend de nombreux catholiques qui ne veulent pas changer de religion.

Chez les catholiques, les prêtres, uniquement des hommes, sont responsables de la vie religieuse dans les **paroisses**. Ils célèbrent la messe, les baptêmes, les mariages et les funérailles.

corsage
Vêtement féminin qui recouvre le haut du corps.

paroisse
Division du territoire faite par les Églises catholique et protestantes.

Cathédrale anglicane Holy Trinity de Québec.

L'église catholique Sainte-Geneviève-de-Pierrefonds dans l'île de Montréal.

Émilie Tavernier-Gamelin (1800-1851), fondatrice des sœurs de la Providence.

Une vie au service des démunis

Au début du 19ᵉ siècle, les épidémies, les mauvaises récoltes et l'arrivée de milliers d'Irlandais sans argent amènent la pauvreté dans les villes. Des **communautés religieuses** de femmes et des associations de dames protestantes et catholiques se portent au secours des plus démunis de la société.

Émilie Tavernier-Gamelin, veuve d'un bourgeois montréalais, est une femme très dévouée. Elle consacre une grande partie de sa vie à secourir les chômeurs, les malades et les prisonniers. Elle fonde une communauté religieuse qui vient en aide aux orphelins, aux femmes âgées et aux handicapés mentaux. **Mère** Gamelin meurt à 51 ans, emportée par une épidémie de choléra.

communauté religieuse

Groupe de femmes ou d'hommes catholiques qui ont choisi de vivre ensemble et de suivre les mêmes règles de vie religieuse.

mère

Nom donné aux dirigeantes des communautés religieuses de femmes.

Noël, une fête gourmande

Les habitants célèbrent de nombreuses fêtes religieuses. La fête de Noël, qui rappelle la naissance de Jésus, existe dans la vallée du Saint-Laurent depuis le 17ᵉ siècle. Vers 1820, elle est la fête la plus attendue de l'année.

Les femmes cuisinent toutes sortes de mets à base de porc, de bœuf et de volaille, et des desserts. La veille de Noël, on se rend à l'église à pied ou en voiture à cheval pour participer à la messe de minuit. Les habitants chantent de nombreux chants religieux qu'on appelle des cantiques. Ensuite, ils se dépêchent de rentrer pour le **réveillon** qu'ils font en famille durant la nuit.

Autrefois, les enfants recevaient leurs étrennes le 1ᵉʳ janvier. Ces cadeaux, composés de bonbons, devaient leur porter chance pour la nouvelle année.

Un réveillon en famille.

réveillon

Repas pris tard dans la nuit.

Chez les protestants, la personne responsable des célébrations religieuses s'appelle un pasteur. Contrairement au prêtre catholique, pour qui le mariage est interdit, le pasteur se marie et fonde une famille tout en étant au service de la paroisse.

Au début du 19e siècle, les Canadiens vont généralement à la messe le dimanche. Mais, parfois, certains ont toutes sortes d'excuses pour ne pas aller à l'église : le mauvais temps, une récolte urgente ou encore l'absence de beaux vêtements pour se présenter en public. Une légende raconte que Dieu aurait puni un cultivateur de Rigaud, près de Montréal, qui n'allait pas à la messe. Son champ de pommes de terre aurait été changé en champ de cailloux.

Une théière en argent.

Portrait d'une bourgeoise anglophone.

Vivre dans le beau

La vie artistique au début du 19e siècle demeure très animée. En ville, on organise des concerts, des pièces de théâtre ainsi que des expositions de peinture. Ces événements ont souvent lieu dans le grand hall des hôtels.

Les gens fortunés achètent de beaux objets dans les boutiques des **orfèvres**, comme des ustensiles ou des théières en argent. Ils apprécient aussi les peintures représentant des paysages. Certains font faire leur portrait par un artiste peintre.

Des femmes de la bourgeoisie anglophone ainsi que des militaires britanniques adoptent comme passe-temps le dessin et la peinture.

Comme au 18e siècle, les artistes travaillent souvent pour les églises et les communautés religieuses. Les architectes dessinent les plans des églises, des **presbytères** et des **couvents**. Ce sont les sculpteurs, les peintres et les orfèvres qui en décorent l'intérieur. Les habitants, qui fréquentent les églises, peuvent admirer leurs œuvres d'art.

orfèvre

Artisan qui fabrique et vend des objets en métaux précieux.

presbytère

Maison située près d'une église où loge le curé, le prêtre responsable d'une paroisse.

couvent

Maison dans laquelle vivent des religieuses ou des religieux.

Les bourgeois possèdent tous une bibliothèque. Celle-ci contient des livres d'histoire, des ouvrages scientifiques, des dictionnaires ou des pièces de théâtre. De plus, depuis les années 1760, on peut lire des journaux imprimés au Canada comme le Quebec Daily Mercury et le Montreal Herald, de langue anglaise, et Le Canadien et La Minerve, de langue française.

Thomas Baillairgé (1791-1859), fils et petit-fils d'artistes

Thomas Baillairgé appartient à une famille renommée de sculpteurs et d'architectes, établie à Québec depuis 1741.

Amoureux des arts, Baillairgé travaille d'abord comme sculpteur avec son père, François. Puis, il dessine plusieurs plans d'édifices religieux dans la vallée du Saint-Laurent. Baillairgé possède un atelier et enseigne son métier à de nombreux élèves.

L'intérieur de l'église Saint-Joachim de Montmorency près de Québec.

Pense à tous les noms de lieux anglophones que tu rencontres au Québec: Hull, Westmount, Granby, Sherbrooke, Drummondville, Stanstead, New Richmond...

Héritage britannique

Aujourd'hui, la société canadienne n'est plus sous le contrôle de la Grande-Bretagne. Si tu portes attention, dans ta vie de tous les jours ou encore durant tes voyages au Québec et en Ontario, tu constateras que les Britanniques ont marqué de façon durable notre société et notre territoire. Voici quelques pistes qui te permettront de remonter le temps jusqu'en 1763...

Une présence anglophone majoritaire

Lorsqu'ils ont pris le pouvoir en 1763, les dirigeants rêvaient d'une Amérique du Nord toute britannique. Aujourd'hui, l'Amérique du Nord est largement anglophone, à l'exception du Québec et de quelques communautés situées ailleurs au Canada et dans le sud des États-Unis.

Les anglophones quoique minoritaires habitent encore les régions qu'ils occupaient il y a 200 ans, comme l'Outaouais, Montréal et les Cantons-de-l'Est.

Environ 600 000 des 7 millions de Québécois ont l'anglais comme langue maternelle. En Ontario, là où se trouvait le Haut-Canada, c'est presque les trois quarts de la population dont l'anglais est la langue maternelle.

Un parlement plus démocratique

En 1792, les dirigeants britanniques organisaient les premières élections au Canada. Le Parlement était formé principalement d'une Chambre d'assemblée qui n'avait pas beaucoup de pouvoir [⬅ p. 31].

Depuis les rébellions de 1837 et 1838, la situation a bien changé. Mais les traditions britanniques demeurent toujours présentes. Aujourd'hui, le gouverneur et les lieutenants-gouverneurs n'ont plus aucun pouvoir. Ils se contentent de représenter la reine ou le roi de Grande-Bretagne.

Rappelle-toi, le conseil exécutif était nommé par le gouverneur. Depuis 1849, les membres de ce conseil sont choisis parmi les députés élus par le peuple. C'est ce qu'on appelle le Conseil des ministres. Ainsi, toutes les décisions sont prises et approuvées par des représentants élus par la population.

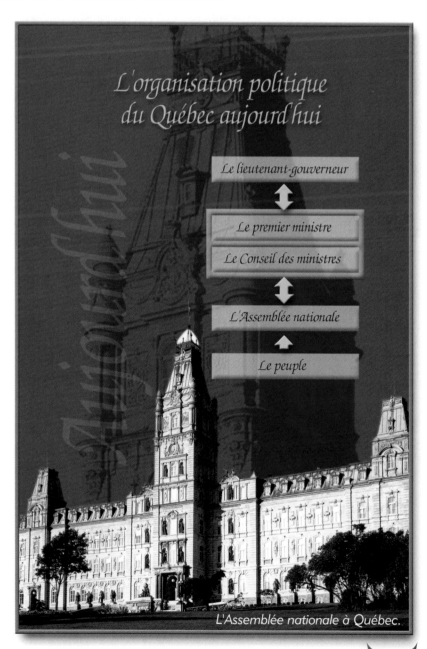

L'organisation politique du Québec aujourd'hui

Le lieutenant-gouverneur
⬍
Le premier ministre
Le Conseil des ministres
⬍
L'Assemblée nationale
⬆
Le peuple

L'Assemblée nationale à Québec.

Coupe industrielle en forêt.

Une industrie forestière toujours aussi gourmande

Depuis la fin du 17ᵉ siècle, les habitants de la vallée du Saint-Laurent et de la rive nord des Grands Lacs coupent les arbres des forêts canadiennes. Les marchands britanniques veulent toujours plus de bois pour la Grande-Bretagne. En cherchant les plus beaux chênes et les plus grands pins, ils ont participé au développement de nouvelles régions que tu connais peut-être : l'Outaouais, l'Abitibi, le Saguenay, le Lac-Saint-Jean, la Côte-Nord et le Bas-Saint-Laurent.

L'industrie forestière continue toujours ses activités. Elle fournit de nombreux emplois au Québec et en Ontario. Elle ne produit plus seulement du bois pour la construction, mais aussi pour la fabrication du papier.

Voie maritime, canaux historiques et canaux de plaisance

L'apport britannique à la navigation fluviale au Canada a été considérable. Le creusement de canaux et la construction d'écluses étaient d'abord l'affaire des marchands et des banquiers britanniques qui voulaient accélérer le transport des marchandises.

Aujourd'hui, une importante portion des canaux et des voies navigables s'appelle la voie maritime du Saint-Laurent. D'immenses navires peuvent parcourir 3700 kilomètres de l'océan Atlantique au lac Supérieur. Les écluses de la voie maritime forment un immense escalier haut de 180 mètres !

La voie maritime du Saint-Laurent.

En 1824, le canal de Lachine n'avait que 1,5 mètre de profondeur. De nos jours, la profondeur de la voie maritime est de plus de 8 mètres !

Certains canaux comme le canal de Lachine, à Montréal, ne servent plus à la navigation commerciale. Ils sont devenus des lieux historiques. On peut même y naviguer pour le plaisir.

Chaque hiver, une partie du canal Rideau, à Ottawa, en Ontario, se transforme en une longue patinoire.

Le 19ᵉ siècle vu du ciel

Le paysage canadien est aussi marqué par le partage des terres fait aux 18ᵉ et 19ᵉ siècles par les Britanniques. Si tu pouvais survoler la région des Cantons-de-l'Est, par exemple, tu verrais la division du territoire en cantons. Sur la photo ci-dessous, tu peux observer la forme rectangulaire des terres qui correspond à celle des lots de l'époque.

Un canton vu du ciel.

Tu viens de parcourir une période très mouvementée de notre histoire. De 1745 à 1820, le régime britannique a bouleversé le mode de vie des Canadiens. Le territoire, la composition de la population, le gouvernement, les activités économiques, les transports, la façon de se vêtir et de manger : tout a changé. Et ce n'est qu'un début ! Les machines à vapeur et les nouvelles inventions vont entraîner rapidement la société canadienne sur la voie du progrès.

La société québécoise vers 1905

1867
Création de la fédération canadienne

1887
Honoré Mercier, premier ministre du Québec

1914
Début de la Première Guerre mondiale

| 1860 | 1870 | 1880 | 1890 | 1900 | 1910 |

1876
Découverte d'amiante dans les Cantons-de-l'Est

1902
Grève de 5000 travailleurs de la chaussure à Québec

1892
Tramways électriques à Montréal

Avant la création du territoire du Québec tel que tu le connais aujourd'hui, les populations du Haut-Canada et du Bas-Canada doivent s'adapter à différents changements. Quels sont ces changements ? Quelles en seront les conséquences pour l'ensemble des habitants, en ce début du 20e siècle ?

Territoire et population

Jadis, en Amérique du Nord, les montagnes, les vallées et les cours d'eau servaient à limiter les territoires des différentes communautés amérindiennes. Au 17e siècle, avec l'arrivée des colons européens dans la vallée du Saint-Laurent, les frontières sont tracées par les dirigeants des colonies.

Au 19e siècle, la carte des colonies britanniques d'Amérique du Nord change d'aspect rapidement. La suite des événements t'enseignera les grandes étapes qui mèneront à la création du Canada et du Québec.

L'union des colonies britanniques : une idée qui fait son chemin

En 1840, la Grande-Bretagne a réuni le Haut et le Bas-Canada en une seule colonie qu'elle nomme le Canada-Uni.

Vers 1860, les territoires et les colonies britanniques en Amérique du Nord s'étendent d'est en ouest. Il s'agit de : Terre-Neuve, la Nouvelle-Écosse, l'Île-du-Prince-Édouard, le Nouveau-Brunswick, le Canada-Uni et la Colombie-Britannique.

Les dirigeants de certaines de ces colonies britanniques désirent les réunir en une fédération. En regroupant leurs forces, les colonies croient qu'elles pourraient régler ensemble les différents problèmes liés à l'**économie**, à la **politique** et à la défense de leur territoire. La Grande-Bretagne autorise l'union de ces colonies. En 1867, elle vote une loi appelée l'*Acte de l'Amérique du Nord britannique*. C'est en quelque sorte la nouvelle **constitution** qui donne naissance au **dominion** du Canada. La ville d'Ottawa, en Ontario, devient la capitale du pays.

économie

Ensemble du travail et du commerce fait par une société.

politique

Façon de gouverner un pays et d'entretenir des relations avec d'autres pays.

constitution

Loi ou ensemble de règles qui établit l'organisation politique d'un pays ainsi que les droits et les devoirs de ses habitants. C'est un peu le «code de vie» d'un pays.

dominion

Colonie britannique qui possède plus de pouvoirs qu'une simple colonie. Le dominion est dirigé par un gouvernement élu par la population, mais il n'est pas un pays indépendant.

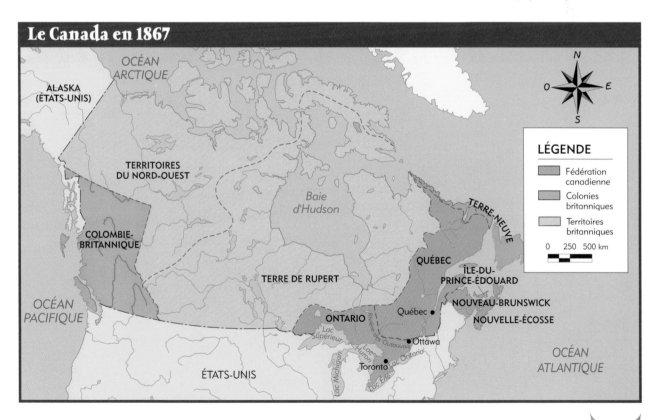

Le Canada en 1867

LÉGENDE

- Fédération canadienne
- Colonies britanniques
- Territoires britanniques

0   250   500 km

Le Canada dont on parle n'est pas l'immense territoire que tu connais aujourd'hui. Ce que l'on nomme le Canada est alors composé de trois colonies britanniques : la Nouvelle-Écosse, le Nouveau-Brunswick et le Canada-Uni. À l'époque, le Canada-Uni regroupe ce qu'on appelait autrefois le Haut et le Bas-Canada. À la suite de l'*Acte de l'Amérique du Nord britannique*, en 1867, le Canada-Uni est divisé en deux provinces : le Québec et l'Ontario. Observe la carte de la page précédente.

Un territoire aux nombreuses facettes

Apprends d'abord à mieux connaître le territoire du Québec et ses régions. Quelle place occupe-t-il dans le Canada ? Découvre son relief, son climat et ses ressources naturelles de plus en plus abondantes grâce au travail difficile des explorateurs de l'époque.

> Au début du 20ᵉ siècle, le Canada a drôlement grandi ! Il s'étend maintenant d'un océan à l'autre. Il comprend de nouvelles provinces : à l'est, l'Île-du-Prince-Édouard, à l'ouest, le Manitoba, la Saskatchewan, l'Alberta et la Colombie-Britannique.

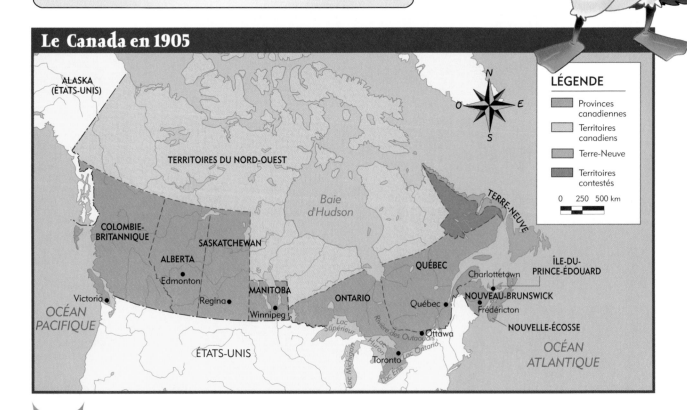

Le Canada en 1905

LÉGENDE
- Provinces canadiennes
- Territoires canadiens
- Terre-Neuve
- Territoires contestés

0 250 500 km

À partir de la création du Canada en 1867, les frontières du Québec changent considérablement. D'abord aussi vaste que l'ancien Bas-Canada, le Québec gagne du terrain. Pourquoi ? Parce que le gouvernement canadien obtient tous les territoires du nord et de l'ouest. Il en distribue de larges parts aux différentes provinces.

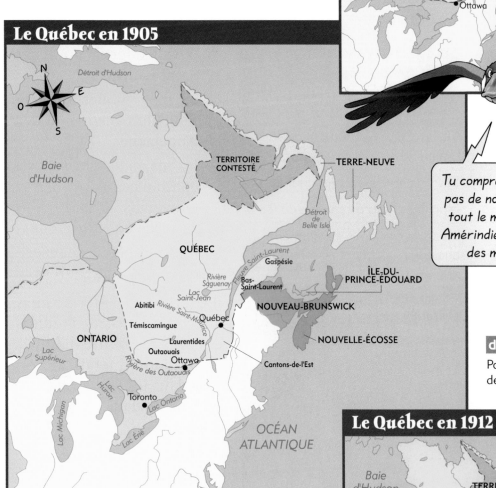

Le Québec en 1867

Le Québec en 1905

Le Québec en 1912

Tu comprendras qu'il ne s'agit pas de nouvelles régions pour tout le monde, parce que les Amérindiens y habitent depuis des milliers d'années !

détroit

Passage maritime entre deux terres rapprochées.

Les cartes de cette page te font voir les diverses transformations du Québec de 1867 à 1912. De nouvelles régions s'ajoutent : l'Abitibi d'abord, puis tout le nord du Québec jusqu'au **détroit** d'Hudson. Seule la côte du Labrador, au nord-est, n'en fait pas partie.

plateau

Étendue de terrain assez plate et surélevée.

conifère

Arbre résineux aux feuilles en forme d'aiguille ou d'écaille. La plupart des conifères, comme le pin ou le cèdre, gardent leurs feuilles toute l'année.

fertile

Qui donne de bonnes récoltes.

Ces terres sont situées sur le **plateau** du Bouclier canadien [⬅ p. IV]. Plus on se déplace vers le nord et plus le climat est rigoureux. Les hivers s'allongent et les étés raccourcissent. C'est le pays de la taïga et de l'immense forêt boréale [⬅ p. 24], composées surtout de **conifères**. Cependant, le sol y est rocailleux et peu **fertile**.

Les ressources du sous-sol

Le territoire du Québec réunit toutes sortes d'éléments que tu connais déjà :

Les minéraux et leurs usages au début du 20ᵉ siècle	
Minéraux	**Usages**
Sable, gravier, pierre	Construction de routes et de bâtiments
Phosphate	Savon, engrais pour les champs
Fer	Machines, rails de chemin de fer
Amiante	Tissus et cordages résistant à la chaleur, revêtement pour les toits

– la vallée fertile du fleuve Saint-Laurent;

– les magnifiques forêts du Bouclier canadien et des Appalaches;

– les majestueuses rivières comme celle des Outaouais, le Saint-Maurice ou le Saguenay;

– les eaux poissonneuses du golfe Saint-Laurent.

Le territoire renferme aussi, dans son sous-sol, de nombreuses ressources naturelles. Les minerais contenus dans les roches sont très utiles dans plusieurs domaines.

En observant la carte ci-contre, tu peux voir où se situent les principales ressources du sous-sol.

Les principales ressources du sous-sol au Québec, au début du 20ᵉ siècle

Baie d'Hudson

Labrador
• Fer

QUÉBEC

Fleuve Saint-Laurent

Abitibi et Témiscamingue
• Métaux variés (or, argent, cuivre, plomb, zinc)

Outaouais
• Fer
• Phosphate

Vallée du Saint-Laurent
• Matériaux de construction (sable, gravier, pierre)
• Fer

Cantons-de-l'Est
• Amiante
• Métaux variés (or, cuivre, nickel)

OCÉAN ATLANTIQUE

0   250   500 km

Du phosphate.   De l'amiante.

William Edmond Logan (1798-1875) : un savant-explorateur

William E. Logan est un célèbre géologue de la ville de Montréal. Il pratique la géologie. Qu'est-ce que la géologie ? C'est une science qui a pour objet l'étude de la Terre et de ses multiples parties comme son écorce et ses formations rocheuses. Logan explore tout le sud-est du Canada pour en découvrir les richesses minérales. Il conçoit et trace des cartes pour indiquer l'emplacement des **gisements**. Il collectionne également des échantillons de minéraux.

Ce grand savant a failli se faire arrêter en Gaspésie car les gens, le voyant casser des pierres avec son marteau, croyaient qu'il était fou !

William E. Logan.

gisement
Couches de minerai dans le sous-sol.

> Les collections de minéraux de Logan et de ses collègues sont à l'origine des grands musées de sciences du Canada. Et toi, collectionnes-tu quelque chose ? des pierres ? des coquillages ? des timbres ?

Les hauts et les bas de la population québécoise

À partir du milieu du 19e siècle, une partie de la population du Québec quitte la vallée du Saint-Laurent pour aller s'installer dans les régions plus au nord, comme les Laurentides, l'Outaouais, le Témiscamingue, le Saguenay et le Lac-Saint-Jean. Ce grand mouvement de population est appelé colonisation. La vie des jeunes gens qui doivent **défricher** la forêt pour construire leur maison et aménager leurs champs ressemble beaucoup à la vie difficile des **pionniers** français et britanniques des trois derniers siècles.

défricher
Couper les arbres, retirer les broussailles et les pierres pour rendre la terre cultivable et propre à la construction.

pionnier
Colon qui s'installe sur un nouveau territoire pour le défricher.

Au Saguenay, la ville de Chicoutimi en 1900.

Tu te demandes peut-être pourquoi les années finissent toujours par un «1» sous cette courbe. En réalité, ce sont celles liées aux recensements (faire le compte des habitants) faits par le gouvernement du Canada, au début de chaque décennie.

Cependant, au début du 20ᵉ siècle, la vallée du Saint-Laurent demeure la région la plus peuplée, surtout l'île de Montréal et ses alentours.

À cette époque, la population québécoise est d'environ 2 000 000 d'habitants. Regarde la courbe suivante. En 50 ans seulement, de 1871 à 1921, la population de la province double même si de nombreux habitants partent aux États-Unis.

La population du Québec de 1851 à 1921

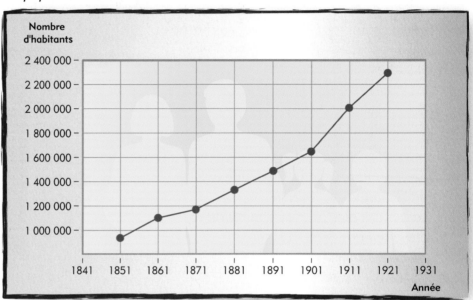

majorité

Le plus grand nombre.

immigrant

Personne qui s'installe dans un pays différent du sien.

minorité

Le plus petit nombre.

Juif

Personne descendant des Hébreux qui habitaient la Palestine il y a environ 2000 ans.

Au commencement du 20ᵉ siècle, au Québec, les Canadiens français forment la **majorité** de la population. En fait, huit habitants sur dix sont francophones. L'accroissement de la population francophone s'explique surtout par les naissances. Les tentatives d'attirer des **immigrants** de France et de Belgique, deux pays où l'on parle français, ne fonctionnent pas.

Les **minorités** regroupent surtout des Canadiens d'origine britannique : des Irlandais, des Anglais et des Écossais. Ils habitent l'île de Montréal ainsi que les régions de l'Outaouais, des Cantons-de-l'Est et du sud de Montréal près de la frontière des États-Unis. Quelques milliers d'Allemands vivent également dans ces régions. Des **Juifs**, des Italiens et des Chinois se sont établis à Montréal.

Seulement 10 000 Amérindiens habitent le Québec. Certains d'entre eux vivent dans des villages près de Montréal et de Québec, mais la plupart demeurent dispersés dans les forêts du nord du territoire.

La population anglophone du Québec se développe lentement malgré l'immigration en provenance de la Grande-Bretagne et des États-Unis. Si tu jettes un coup d'œil sur la carte suivante, tu verras que les nouveaux immigrants, au début du 20e siècle, viennent également de différents pays d'Europe et d'Asie.

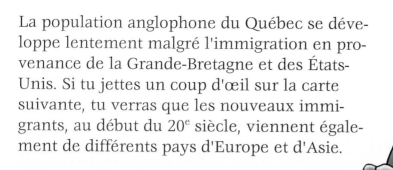

À l'époque, la plupart des Juifs de Montréal sont originaires de Russie.

Les principaux pays de provenance des immigrants

GRANDE-BRETAGNE
NORVÈGE
SUÈDE
DANEMARK
BELGIQUE
ALLEMAGNE
POLOGNE
AUTRICHE
UKRAINE
FRANCE
HONGRIE
ITALIE
RUSSIE
CHINE
JAPON
OCÉAN PACIFIQUE

Une famille d'immigrants anglais, arrivée à Québec.

Quitter le Québec

Le port de Montréal, ou celui de Québec, compte de nombreux immigrants de passage au Québec. Ces derniers se dirigent ensuite vers l'Ouest canadien ou encore vers les États-Unis. Mais ils ne sont pas les seuls à quitter la province.

Depuis les années 1860, les Canadiens français **émigrent** vers les États-Unis pour améliorer leurs conditions de vie. Ils travaillent dans les usines de **textiles** et de chaussures du nord-est **états-unien**. Au début du 20ᵉ siècle, les familles canadiennes-françaises sont presque aussi nombreuses aux États-Unis qu'au Québec.

émigrer
Quitter son pays pour aller s'établir dans un autre.

textile
Qui concerne la fabrication des tissus.

états-unien
Des États-Unis d'Amérique.

La famille Touchette-Pépin en Nouvelle-Angleterre.

Vie politique

Tu as vu, dans les pages précédentes, les diverses transformations qu'a subies le territoire du Canada. La vie politique change également d'une manière marquante. Tu dois garder en mémoire que les colonies britanniques du Haut et du Bas-Canada deviennent le Canada-Uni en 1840.

Les premiers pas du Canada

La vie politique au Canada-Uni est très mouvementée. Le gouvernement de cette colonie demeure divisé, car les députés anglophones et francophones ne s'entendent pas. En raison des nombreuses mésententes au sein de la colonie, les lois ne sont pas votées. Or, plusieurs députés croient qu'en réunissant les colonies en un seul pays la situation s'arrangera.

Ensemble, les colonies pourraient obtenir assez d'argent pour construire un chemin de fer qui traverserait le continent. Ainsi, elles seraient reliées les unes aux autres.

Comment la Grande-Bretagne va-t-elle réagir à cette proposition ? Elle réagit plutôt bien. Pourquoi ? Depuis plusieurs années, la Grande-Bretagne

Des soldats britanniques s'embarquent pour le Canada-Uni.

commerce de moins en moins avec ses colonies d'Amérique du Nord. Celles-ci lui coûtent très cher. De plus, elle doit assurer leur défense. Par exemple, elle envoie des soldats britanniques et fait construire des forts le long de la frontière avec les États-Unis. Si les colonies étaient réunies, elles formeraient une armée qui pourrait les défendre plus facilement.

Tu sais maintenant que, grâce à l'*Acte de l'Amérique du Nord britannique* voté en 1867, la Grande-Bretagne accepte l'union de ses colonies. C'est la naissance du Canada. Les dirigeants des colonies doivent désormais s'entendre sur le partage des pouvoirs au Canada.

L'Acte entraîne aussi un autre changement. Le Canada-Uni est divisé en deux provinces : l'Ontario et le Québec. Des noms qui te sont aujourd'hui très familiers.

Attention ! Même si le Canada devient un dominion en 1867, il garde des liens très étroits avec la Grande-Bretagne.

Une fédération canadienne pour l'union des colonies

Selon toi, qu'est-ce que la fédération canadienne? Elle constitue l'union de plusieurs colonies qui acceptent d'être dirigées par un gouvernement central, aussi appelé gouvernement fédéral. En revanche, chacune de ces colonies conserve un gouvernement local, appelé également gouvernement provincial. Les gouvernements fédéral et provinciaux se partagent les pouvoirs pour administrer le pays.

Quels pouvoirs se partagent-ils? Le gouvernement fédéral s'occupe des affaires générales qui concernent l'ensemble du Canada. Par exemple, il crée des lois visant à maintenir la paix et l'ordre; il gère la monnaie, les banques, la poste et les communications et assure la défense du pays. Les gouvernements provinciaux, quant à eux, s'occupent des affaires régionales qui concernent leur province. Tu n'as qu'à penser aux lois qui règlent la vie quotidienne des gens, aux travaux publics comme la construction des routes et celle des hôpitaux, à l'éducation et à l'agriculture.

Lors de tes lectures, tu verras que cette fédération est souvent appelée la Confédération canadienne.

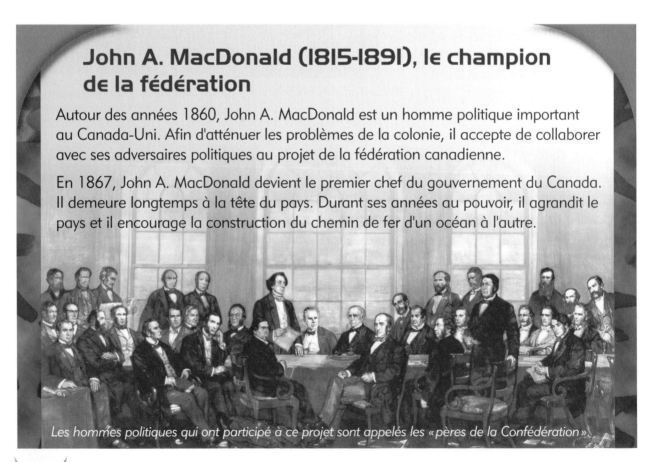

John A. MacDonald (1815-1891), le champion de la fédération

Autour des années 1860, John A. MacDonald est un homme politique important au Canada-Uni. Afin d'atténuer les problèmes de la colonie, il accepte de collaborer avec ses adversaires politiques au projet de la fédération canadienne.

En 1867, John A. MacDonald devient le premier chef du gouvernement du Canada. Il demeure longtemps à la tête du pays. Durant ses années au pouvoir, il agrandit le pays et il encourage la construction du chemin de fer d'un océan à l'autre.

Les hommes politiques qui ont participé à ce projet sont appelés les «pères de la Confédération».

Le Québec, une province du Canada

Le Québec possède son propre gouvernement, c'est-à-dire un gouvernement provincial. Comme tu l'as vu, il partage les pouvoirs avec le gouvernement fédéral du Canada. Dans les pages suivantes, tu découvriras le fonctionnement de cette nouvelle réalité politique.

La fédération imaginée par John A. MacDonald et ses collaborateurs prévoit un gouvernement fédéral puissant. Ce dernier peut rejeter des décisions prises par les gouvernements provinciaux, comme celui du Québec. Les refus du gouvernement fédéral vont entraîner de vives protestations de la part des provinces.

Honoré Mercier, **premier ministre** du Québec de 1887 à 1891, décide de réunir tous les dirigeants des provinces pour freiner le gouvernement du Canada. Ils exigent que leurs pouvoirs soient respectés par le gouvernement fédéral. Ils veulent aussi plus d'argent pour bâtir des écoles, construire de nouvelles routes, des ponts, des chemins de fer, etc.

premier ministre

Nom donné au chef du gouvernement du Canada ou au chef du gouvernement d'une province.

Honoré Mercier (1840-1894), fier d'être un Canadien français

Honoré Mercier a de grandes idées pour le Québec et les Canadiens français. Dans tout le Canada, il défend les droits des Canadiens français afin qu'ils obtiennent des écoles de langue française. À l'étranger, il ouvre des bureaux en France et aux États-Unis pour mieux faire connaître sa province.

Mercier prend également des mesures concrètes dans différents domaines : les transports, l'agriculture, l'éducation et le travail. Par exemple, pour peupler et développer la nouvelle région du Lac-Saint-Jean, il la relie à la ville de Québec par un chemin de fer. Même s'il n'est pas longtemps chef de la province, Mercier montre aux Canadiens français qu'ils peuvent être fiers de leur langue et de leurs réalisations.

Honoré Mercier.

Un Canada britannique ou un Canada canadien?

Au début du 20ᵉ siècle, la vie politique du Québec et du Canada demeure agitée par des querelles entre les Canadiens d'origine britannique et les Canadiens français.

D'une part, plusieurs anglophones désirent que le Canada se rallie à la Grande-Bretagne pour participer aux guerres britanniques qui se déroulent en Afrique et en Europe. Ils sont même prêts à construire des navires de guerre pour aider la Grande-Bretagne.

D'autre part, plusieurs francophones comme Henri Bourassa rêvent d'un Canada indépendant de la Grande-Bretagne. Ils ne veulent pas se battre aux côtés des Britanniques. Les Canadiens français souhaitent aussi que le Canada devienne un pays **bilingue** où l'on pourrait s'exprimer en français et en anglais partout.

bilingue
Où l'on parle deux langues.

conscription
Engagement forcé dans l'armée des hommes de 18 à 45 ans.

La première page d'un journal de Québec en juin 1917.

En 1917, le gouvernement fédéral oblige les jeunes Canadiens à s'engager dans l'armée pour aller se battre en Europe durant la Première Guerre mondiale. Les Canadiens français s'opposent vivement à la **conscription**. À Québec, les soldats tirent sur une foule mécontente. Il y a des morts et des blessés.

Ce n'est qu'en 1931 que le Canada devient un pays indépendant de la Grande-Bretagne.

Une manifestation contre la conscription en 1918, à Québec.

La démocratie au Québec

Depuis 1791, l'organisation politique du Bas-Canada ressemble à celle de la Grande-Bretagne. C'est un système parlementaire. Cela signifie qu'une assemblée de députés, élue par le peuple, vote des lois. Au Québec, le Parlement regroupe aussi un conseil législatif qui étudie des lois. Regarde bien le schéma de la page suivante pour en savoir plus.

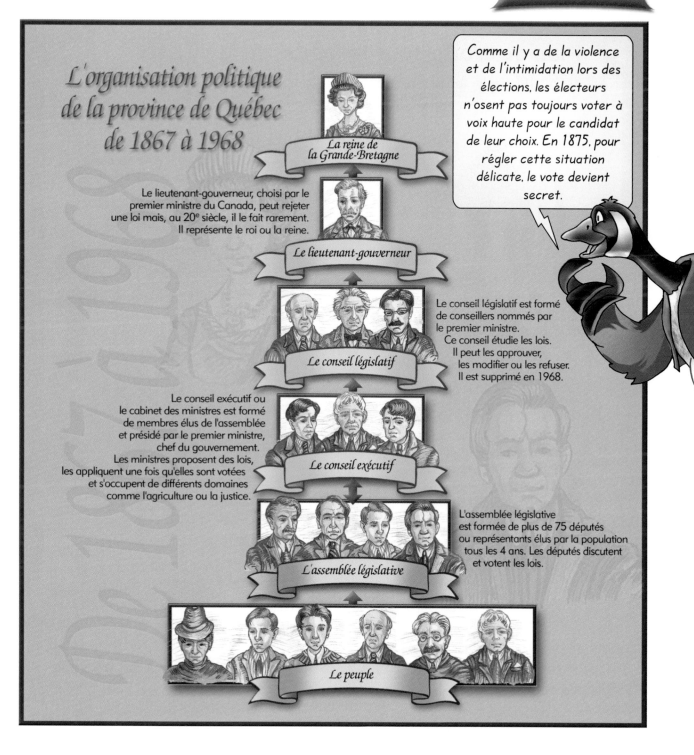

L'organisation politique de la province de Québec de 1867 à 1968

La reine de la Grande-Bretagne

Comme il y a de la violence et de l'intimidation lors des élections, les électeurs n'osent pas toujours voter à voix haute pour le candidat de leur choix. En 1875, pour régler cette situation délicate, le vote devient secret.

Le lieutenant-gouverneur, choisi par le premier ministre du Canada, peut rejeter une loi mais, au 20e siècle, il le fait rarement. Il représente le roi ou la reine.

Le lieutenant-gouverneur

Le conseil législatif est formé de conseillers nommés par le premier ministre. Ce conseil étudie les lois. Il peut les approuver, les modifier ou les refuser. Il est supprimé en 1968.

Le conseil législatif

Le conseil exécutif ou le cabinet des ministres est formé de membres élus de l'assemblée et présidé par le premier ministre, chef du gouvernement. Les ministres proposent des lois, les appliquent une fois qu'elles sont votées et s'occupent de différents domaines comme l'agriculture ou la justice.

Le conseil exécutif

L'assemblée législative est formée de plus de 75 députés ou représentants élus par la population tous les 4 ans. Les députés discutent et votent les lois.

L'assemblée législative

Le peuple

Lors des élections, la population choisit ses représentants parmi les candidats des différents **partis** politiques. Le parti qui obtient le plus grand nombre de candidats élus remporte les élections. Le chef du parti gagnant devient premier ministre. À partir des années 1910, tous les hommes de plus de 21 ans ont le droit de voter à l'exception des Amérindiens. Depuis le milieu du 19e siècle, les femmes n'ont plus le droit de vote.

parti

En politique, groupe de personnes qui partagent des opinions semblables et qui se réunissent pour se faire élire et former le gouvernement d'une province ou d'un pays.

Plus de droits pour la moitié de la société

À la fin du 19e siècle, les femmes du Québec ont beaucoup moins de droits que les femmes d'aujourd'hui. Elles doivent toujours **se soumettre** à l'autorité d'un homme : leur père, leur mari ou encore le prêtre. Eh oui, il s'agit encore du système patriarcal.

se soumettre
Obéir.

militant
Qui lutte activement pour défendre une cause, une idée.

Marie Gérin-Lajoie (1867-1945), une des premières *militantes* canadiennes-françaises pour les droits des femmes.

Des femmes anglophones et francophones des milieux aisés luttent pour obtenir plus de droits. En 1918, elles obtiennent le droit de vote aux élections fédérales. Mais au Québec, les prêtres et les hommes politiques s'y opposent fortement. Il faudra attendre 1940 pour que les Québécoises puissent voter aux élections provinciales !

Imagine, 50 ans de combat pour que la moitié de la société québécoise puisse enfin voter !

Activités économiques

Depuis l'époque de la Nouvelle-France, l'économie dépend principalement de la traite des fourrures, de l'agriculture et du commerce du bois. Au début du 20e siècle, l'économie québécoise est plus diversifiée. Cela signifie que les activités économiques y sont plus variées qu'autrefois. On pratique toujours l'agriculture, car il faut bien se nourrir et nourrir ceux qui ne sont pas des agriculteurs. Mais tu verras que l'invention de nouvelles machines et l'utilisation de nouvelles sources d'énergie, comme la vapeur et l'électricité, vont entraîner bien des changements.

Une agriculture mécanisée et spécialisée

Tout au long du 19ᵉ siècle, la population **rurale** du Québec diminue. De nombreuses personnes quittent la campagne pour aller gagner leur vie à la ville ou aux États-Unis. Cependant, dans les années 1900, six personnes sur dix vivent encore à la campagne.

rural

De la campagne.

main-d'œuvre

Ensemble des personnes qui travaillent.

La vie et le travail à la ferme suivent toujours le rythme des quatre saisons [⬅ p. 34]. Cependant, l'agriculture fait l'objet de grandes modifications. À partir du milieu du 19ᵉ siècle, on trouve de plus en plus de machines agricoles. Celles-ci permettent aux cultivateurs d'accomplir leurs tâches plus rapidement avec moins de **main-d'œuvre**.

La batteuse sépare les grains de leur enveloppe et de leur tige.

Au fil du temps, les sols de la vallée du Saint-Laurent se sont appauvris, car les cultivateurs utilisent peu ou mal les engrais. C'est pour cette raison que l'on cultive de moins en moins le blé, une céréale fragile qui exige une terre très riche. On sème surtout du foin et de l'avoine qui servent principalement à nourrir le **bétail**. L'herbe, dont les vaches raffolent, est très facile à faire pousser. Aussi plusieurs fermes se spécialisent dans l'élevage de vaches laitières. La production de lait, de fromage et de beurre prend de l'importance.

bétail

Ensemble des animaux d'élevage d'une ferme, comme les chevaux, les vaches, les bœufs, les moutons, les porcs et les chèvres. La volaille ne fait pas partie du bétail.

Le lait est ramassé dans les fermes pour être livré à la fromagerie ou à la beurrerie.

Les États-Unis et la Grande-Bretagne apprécient beaucoup les produits du Québec comme l'avoine, les produits laitiers et le bacon.

culture maraîchère

Culture de légumes destinés à la vente.

mine

Terrain renfermant un gisement d'où l'on peut extraire des minéraux comme le cuivre ou le fer.

Pour mieux répondre aux besoins de la population des villes, les fermiers des environs développent certaines spécialités. Ils pratiquent la **culture maraîchère**. Ils élèvent aussi des poules pour les œufs, du bétail pour la viande et le lait. Ils se rendent régulièrement à la ville vendre leurs produits au marché.

Dans les régions éloignées, comme le Témiscamingue, les cultivateurs font pousser juste ce qu'ils ont besoin pour vivre : du foin, des céréales et des légumes. C'est ce qu'on appelle l'agriculture de subsistance. Ils élèvent aussi des porcs, des animaux faciles à soigner. Pour obtenir de meilleurs revenus, les hommes coupent du bois en forêt pendant l'hiver. En Gaspésie, c'est la pêche qui complète le travail à la ferme. En Abitibi, les hommes vont plutôt travailler dans les **mines**.

> Aimes-tu les fruits? Autour de Montréal, on fait surtout pousser des pommes et des melons. Près de Québec, les fermiers cultivent des pommiers, des pruniers, des cerisiers et des poiriers.

Voici un marché à Montréal, vers 1925. Certains cultivateurs transportent leurs produits à l'aide d'une charrette tirée par un cheval, d'autres possèdent un camion.

Des bûcherons au travail.

La machine, reine de l'industrialisation

Qu'est-ce que l'industrialisation ? Il s'agit d'un important changement pour l'économie du Québec, au 19ᵉ siècle. Tu sais déjà que, dans les premières décennies de ce siècle, l'atelier de l'artisan n'est plus le seul endroit où l'on fabrique des produits utiles à la population. La **manufacture** produit beaucoup plus vite et beaucoup plus de biens que l'atelier [⬅ p. 45]. Mais le changement ne s'arrête pas là !

Dans la seconde moitié du 19ᵉ siècle, la machine entre à la manufacture. Celle-ci devient alors une usine. Pour acheter une usine équipée de machines, il faut beaucoup d'argent. Ce sont souvent de riches hommes d'affaires britanniques ou états-uniens qui viennent s'installer au Québec. Dans l'usine, les tâches sont encore plus divisées que dans la manufacture. C'est pour cette raison que les propriétaires n'ont plus besoin d'employer des artisans qualifiés, qui possèdent de grandes compétences dans leur métier. De plus, avec l'arrivée de la machine, les **matières premières** et les **produits semi-finis** sont transformés encore plus rapidement qu'avant.

manufacture
Grand établissement qui emploie plusieurs personnes et où l'on transforme une matière première.

matière première
Matériau d'origine naturelle qui n'a pas encore été transformé. Le blé, avec lequel on fabrique la farine, et l'amiante, avec lequel on fabrique des tissus à l'épreuve du feu, sont des matières premières.

produit semi-fini
Produit qui a subi une transformation, mais qui doit en subir d'autres avant d'être utile à la consommation. La pâte de bois est un produit semi-fini avec lequel on fabrique le papier.

Les trois phases de l'industrialisation

1ʳᵉ phase	2ᵉ phase	3ᵉ phase
L'atelier L'artisan propriétaire connaît et contrôle toutes les étapes de la fabrication.	**La manufacture** Les artisans ne sont pas propriétaires de la manufacture. Ils sont réunis dans un même lieu et ne réalisent plus toutes les étapes de la fabrication.	**L'usine** Les travailleurs ne sont pas propriétaires de l'usine. Ils accomplissent des tâches très précises à l'aide d'une machine. On appelle cela la division du travail.

Des ouvriers dans une usine de chaussures.

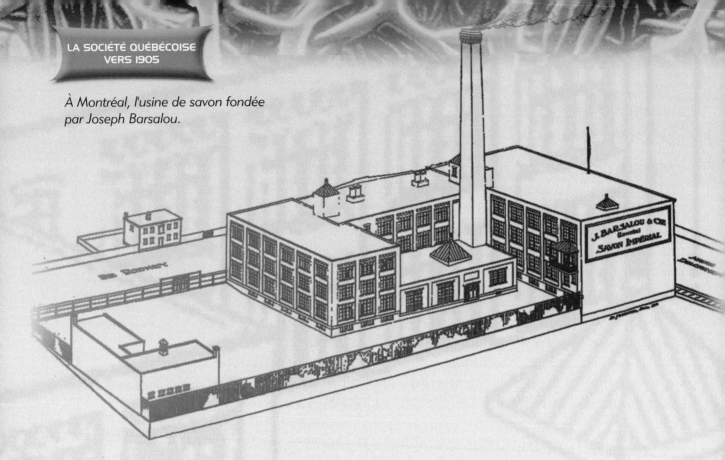

À Montréal, l'usine de savon fondée par Joseph Barsalou.

Les usines sont situées en ville, surtout à Montréal, où les travailleurs demeurent nombreux. Elles se concentrent aussi près des canaux et des voies ferrées. Les produits peuvent ainsi être transportés facilement dans la province, le Canada et les États-Unis. L'industrie de l'alimentation est la plus importante avec ses **meuneries**, ses **raffineries de sucre**, ses beurreries et ses fromageries. Le domaine de la fabrication de fils, de tissus, de vêtements et de chaussures connaît beaucoup de succès. On trouve aussi des usines où l'on transforme le fer en machines et en matériel de chemin de fer. Enfin, les scieries sont de plus en plus nombreuses.

meunerie
Usine où l'on fabrique des farines.

raffinerie de sucre
Usine où l'on transforme le sucre brun en sucre blanc et en mélasse.

La machine à vapeur

Jusqu'au 18ᵉ siècle, les machines étaient actionnées par la force humaine ou animale, le vent et l'eau. La machine à vapeur du Britannique James Watt, inventée en 1784, va bouleverser l'industrie et les transports.

Dans cette machine, l'eau chauffée se transforme en vapeur. Celle-ci met la machine en mouvement. La machine pollue beaucoup, car on utilise un feu de bois ou de charbon pour faire bouillir l'eau. Cependant, elle ne dépend pas des vents ni du **débit** des rivières pour fonctionner.

débit
Quantité d'eau qui s'écoule durant un intervalle de temps donné.

Magasiner à la ville et à la campagne

Au milieu du 19ᵉ siècle, une nouvelle façon de faire du commerce apparaît à la ville : le grand magasin. Ce magasin vend des centaines, voire des milliers d'articles différents. Il est divisé en plusieurs sections spécialisées, que l'on appelle des rayons : vêtements pour femmes, vêtements pour hommes, vaisselle, meubles, jouets, etc. Les marchands offrent des articles à la mode, à des prix fixes et plus bas qu'au magasin général.

Grâce au catalogue envoyé par la poste, les gens de la campagne peuvent aussi se procurer les nouveautés en vente dans les grands magasins de la ville. Tu comprends que ce procédé ne fait pas l'affaire du marchand général du village.

L'intérieur d'un magasin à rayons à la fin du 19ᵉ siècle.

Au grand magasin, la qualité de la marchandise est garantie, sinon le marchand rembourse la clientèle.

« Travailler, c'est trop dur »

L'ouverture des manufactures et des usines changent considérablement les conditions de travail pour une grande partie de la population québécoise. À l'usine, le travail est divisé en plusieurs tâches. On y trouve de nombreux ouvriers peu qualifiés et mal payés. L'usine est souvent mal aérée, mal éclairée et l'espace n'y est pas suffisant. Les journées de travail sont longues : de 8 à 12 heures par jour, 6 jours par semaine. Lorsqu'il y a moins de travail à l'usine, les patrons n'hésitent pas à **congédier** les employés.

Imagine, travailler 72 heures par semaine dans une usine mal aérée ! La fatigue des ouvriers et le mauvais état des machines augmentent les risques d'accidents.

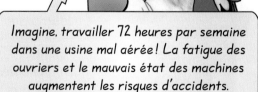

congédier
Renvoyer une personne que l'on emploie.

Le salaire d'un ouvrier est souvent insuffisant pour faire vivre sa famille. Les femmes et même les enfants doivent aller travailler. Comme les tâches sont simples, les patrons d'usine les **embauchent**. Cependant, pour un travail égal à celui d'un homme, une femme ne gagne que la moitié de son salaire. Les enfants obtiennent un salaire encore plus bas. Il arrive aussi que les **contremaîtres** les maltraitent. Au début du 20e siècle, les lois interdisent le travail des enfants de moins de 14 ans, mais elles ne sont pas toujours respectées.

Le développement des villes, des industries et des grands magasins entraîne la création d'une foule d'occupations. Jette un coup d'œil sur le tableau suivant pour découvrir quelques-uns des métiers pratiqués à la ville.

embaucher

Engager une personne pour lui donner du travail.

contremaître

Personne responsable d'une équipe d'ouvriers.

Quelques métiers au début du 20e siècle	
Métier	**Description**
Domestique	fait le ménage, la cuisine et le service pour une famille aisée, du matin au soir.
Infirmière	soigne les malades.
Maîtresse ou maître d'école	fait la classe aux enfants du primaire.
Vendeur	vend des marchandises dans un grand magasin.
Employé de bureau	écrit, tape à la machine, classe des papiers, répond au téléphone.
Mécanicien	monte, entretient et répare les machines.
Typographe	compose et met en pages les textes dans une imprimerie.
Journaliste	participe à la rédaction d'un journal.
Agent d'immeubles	achète ou vend des maisons pour ses clients.
Pompier	combat les incendies et participe à des opérations de sauvetage.
Policier	maintient l'ordre et la sécurité.
Laveur de linge	ramasse les vêtements sales, les lave et les livre à domicile.

Un policier de Montréal.

L'union fait la force

Comme tu peux le constater, l'industrialisation ne fait pas toujours la belle vie aux travailleurs et aux travailleuses. À partir des années 1870, les travailleurs commencent à se réunir pour défendre leurs droits. On appelle ces regroupements des syndicats.

Avec l'arrivée de la machine et de la main-d'œuvre à bon marché, les artisans de même métier (cordonniers, typographes, etc.) sont

Jusqu'en 1872, les syndicats sont illégaux au Canada.

Les arrêts de travail, ou les grèves, sont très nombreux au début du 20e siècle, surtout dans l'industrie du textile et de la chaussure où les conditions de travail sont les plus difficiles.

les premiers à créer des syndicats pour protéger leurs emplois. Au fil des années, de plus en plus de travailleurs joignent les syndicats. Ces derniers réclament de meilleurs salaires, une journée de travail plus courte et l'assurance de ne pas perdre un emploi sans raison valable.

Les nouvelles industries du 20e siècle

Au 19e siècle, le Québec produit surtout du bois **équarri** pour l'**exportation** ou du bois scié en planches et en **madriers** pour la construction. À force de les abattre, les grands feuillus et les conifères utilisés par cette industrie forestière sont de moins en moins abondants sur le territoire québécois. Cependant, avec l'invention du papier fait à base de pâte de bois, la coupe de petits conifères comme l'épinette devient de plus en plus intéressante.

À partir de la fin du 19e siècle, grâce à de nouvelles inventions, d'autres industries apparaissent. Elles sont basées sur l'**exploitation** de ressources naturelles comme le bois, l'eau et les minéraux du sous-sol. On les retrouve à l'extérieur des villes près des forêts, des rivières ou des gisements.

équarri

Coupé carré, taillé à angles droits.

exportation

Action d'envoyer et de vendre des marchandises à l'extérieur d'un pays.

madrier

Planche très épaisse.

exploitation

Action de tirer parti d'une ressource en vue de la transformer ou d'en faire le commerce.

Savais-tu qu'avant l'invention de la pâte de bois on utilisait des chiffons, de la paille et du coton pour fabriquer le papier?

Au début du 20ᵉ siècle, le Québec devient un important producteur de pâtes et papiers. On exporte une grande partie de cette production vers les États-Unis qui impriment de nombreux journaux.

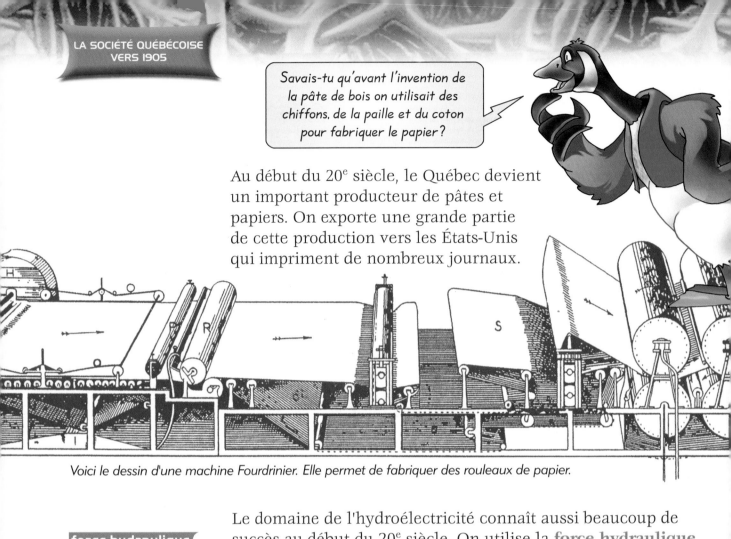

Voici le dessin d'une machine Fourdrinier. Elle permet de fabriquer des rouleaux de papier.

force hydraulique

Force fournie par les chutes et les cours d'eau.

Le premier grand barrage hydroélectrique du Québec, à Shawinigan, en Mauricie.

Le domaine de l'hydroélectricité connaît aussi beaucoup de succès au début du 20ᵉ siècle. On utilise la **force hydraulique** pour faire fonctionner un moulin afin de moudre des céréales ou de scier du bois. Au Québec, dès les années 1880, cette même force sert aussi à produire de l'électricité. Cette énergie va permettre d'actionner de nouvelles machines, de porter le son (la radiodiffusion) et les images (le cinématographe), de créer des moyens de transport, d'éclairer les rues et les maisons.

Une mine d'amiante.

La construction de **centrales** sur les grandes rivières de la province entraîne aussi le développement d'activités économiques. En Mauricie et au Saguenay, on établit des **alumineries** et des usines de produits chimiques. Ces industries exigent beaucoup d'énergie électrique.

Grâce à l'électricité, on transforme la bauxite en aluminium. La bauxite transformée au Québec provient d'Amérique du Sud.

Au tout début du 20ᵉ siècle, on ne trouve que des carrières d'où l'on extrait des matériaux de construction dans la vallée du Saint-Laurent, et des mines d'amiante et d'**ardoise** dans les Cantons-de-l'Est. Il faut attendre les années 1920 pour que la production minière au Québec commence pour de bon. Reliée à la ville de Québec par le chemin de fer en 1912, l'Abitibi deviendra la principale région minière de la province. Elle produira principalement du cuivre, de l'or et de l'argent.

centrale
Usine qui produit du courant électrique.

aluminerie
Usine qui produit de l'aluminium.

ardoise
Roche bleu-gris utilisée pour couvrir les toitures.

En 1860, les Montréalais inaugurent le premier pont reliant leur île à la rive sud du fleuve. C'est le pont Victoria où circulent des trains.

Voies d'eau, voies de fer et voies de macadam

réseau

Ensemble des voies ferrées, des canaux, des routes ou des fils électriques qui relient les différentes parties d'un territoire.

Depuis les années 1820, les transports se sont grandement améliorés au Québec et dans tout le Canada. Grâce au développement du **réseau** de canaux et de chemins de fer, on peut transporter plus rapidement les personnes et les marchandises de l'océan Atlantique à l'océan Pacifique, de l'Abitibi aux États-Unis.

Au milieu du 19e siècle, les bateaux à vapeur sont en voie de remplacer les voiliers. Ils se déplacent de Montréal jusqu'au lac Supérieur. Cependant, pour permettre la navigation des bateaux de plus en plus lourds et de plus en plus rapides, il faut creuser et élargir les canaux. On **drague** même un passage plus profond dans le fleuve Saint-Laurent pour que les océaniques, ces grands navires qui font la traversée de l'océan Atlantique, puissent se rendre jusqu'à Montréal.

draguer

Creuser ou nettoyer le fond d'un lac ou d'un cours d'eau.

Au milieu du 19e siècle, le chemin de fer devient le moyen de transport le plus important. Au moment de la création de la fédération canadienne en 1867, il existe à peine 1000 kilomètres de voies ferrées au Québec. On en trouve plus de 6000 au début du 20e siècle.

Un wagon équipé d'une souffleuse.

Dans les années 1860, pour économiser, on a tenté de construire des rails en bois. Quelle idée! Avec la pluie, la neige, la chaleur, le froid et le poids des trains, ces rails sont vite devenus inutilisables.

Le port de Montréal, un lieu de commerce

Les provinces de l'Ouest canadien comme le Manitoba et la Saskatchewan expédient leurs importantes récoltes de blé par train, vers Montréal. De là, le blé est exporté vers l'Europe. À la fin du 19e siècle, il devient nécessaire de rénover le port de Montréal pour mieux entreposer les céréales et accueillir les nombreux navires.

On drague le fleuve, on construit des quais plus élevés, des entrepôts, des voies ferrées ainsi qu'un mur pour protéger la ville des inondations printanières. Au début du 20e siècle, Montréal possède un port moderne, tout en béton, qui s'étend sur quelques kilomètres.

Le nouveau port de Montréal vers 1910.

Durant la colonisation, le gouvernement du Québec aide à la construction de chemins de fer pour développer de nouvelles régions comme les Laurentides et le Lac-Saint-Jean. Les grandes voies qui relient les provinces les unes aux autres sont plutôt des projets du gouvernement fédéral.

En ville, autour de 1860, un nouveau moyen de transport apparaît : le tramway. C'est une grande voiture traînée par des chevaux, sur des rails en fer en été et sur des patins en hiver. En 1892, le tramway électrique circule dans les rues de Montréal.

Savais-tu qu'au Musée ferroviaire canadien de Delson-Saint-Constant, sur la rive sud de Montréal, tu peux admirer des trains et des tramways des 19e et 20e siècles ?

Un tramway électrique.

Au 19ᵉ siècle, les routes du Québec sont généralement en très mauvais état, surtout les chemins de campagne. Les gouvernements préfèrent payer pour des chemins de fer. La plupart des routes sont creusées de trous, poussiéreuses par temps sec et boueuses dès qu'il pleut. Seules quelques grandes routes sont mieux entretenues que les autres. Cependant, à la fin du 19ᵉ siècle, les principales rues des villes de Montréal et de Québec sont recouvertes de macadam, un mélange de gravier et de sable compacté par des rouleaux compresseurs.

Une grande nouvelle à Montréal

Dans le journal *La Patrie* du 22 novembre 1899, on pouvait lire ceci :

mouvoir
Mettre en mouvement.

moteur
Qui provoque le mouvement.

gravir
Monter avec effort.

Le premier propriétaire de voiture à Montréal, Ucal-Henri Dandurand, et sa Waltham à vapeur.

La voiture sans cheval fait son apparition à Montréal

Hier après-midi, la première automobile est passée dans nos rues principales et l'expérience a été couronnée de succès. [...]

La machine, la seule du genre qui soit à Montréal, n'est pas mue par l'électricité comme on le suppose généralement. C'est une invention américaine qui l'emporte sur l'automobile électrique.

La force motrice est la vapeur générée par la gazoline. [...]

La machine est aussi facile à conduire qu'une bicyclette, sans que l'on ait à la maintenir en équilibre. Elle peut rouler à 22 allures différentes.

Elle conserve à peu près la même vitesse en gravissant une côte qu'en marchant sur un terrain plat. Les descentes de côtes s'opèrent sans difficulté grâce à un frein à air dont elle est munie.

Au Québec, en 1906, il n'y a que 167 automobiles !

Une «grosse» famille canadienne-française.

Vie en société

À l'aube du 20e siècle, l'évolution des activités économiques et l'importance grandissante des villes changent la société québécoise. La concentration de la population en milieu **urbain** bouleverse le visage de la province. Cependant, qu'on habite la ville ou la campagne, la famille demeure la base de cette société.

Une société divisée en classes

La société québécoise de cette époque se compare à une pyramide divisée en étages que l'on appelle des classes sociales. Jette un coup d'œil sur le diagramme suivant.

Grande bourgeoisie	Formée surtout de Canadiens d'origine britannique. Ces bourgeois habitent Montréal, Sherbrooke et Trois-Rivières. Cette classe contrôle la vie politique et économique du Canada avec ses banques et ses chemins de fer qui traversent le pays.
Moyenne bourgeoisie	Formée de Canadiens d'origine britannique et d'hommes d'affaires canadiens-français. Elle concentre ses activités à l'intérieur de la province et contrôle des industries et des banques régionales.
Petite bourgeoisie	Formée par les propriétaires de petites entreprises et de commerces, les gens de profession, le clergé, les journalistes et les professeurs. Elle domine surtout la vie des villages à la campagne ou celle des quartiers à la ville.
Travailleurs et cultivateurs	La classe ouvrière est formée de travailleurs de métier (mécaniciens, charpentiers, etc.), de travailleurs et travailleuses non qualifiés et d'employés du secteur tertiaire (employés de bureau, vendeurs, etc.).

urbain
Qui est de la ville.

Le secteur primaire produit des matières premières et comprend des activités comme l'agriculture, la pêche ou les mines. Le secteur secondaire transforme les matières premières et regroupe les différentes industries.

gens de profession
Personnes qui exercent un métier à caractère intellectuel, comme les notaires, les avocats et les médecins. On les appelle aussi des professionnels.

clergé
Ensemble des responsables religieux.

secteur tertiaire
Ensemble des activités économiques qui ne visent pas à produire des marchandises, mais plutôt à offrir des services à la population.

Une société plus instruite

Au milieu du 19ᵉ siècle, un enfant sur dix fréquente l'école. Mais la situation s'améliore par la suite. Les écoles primaires se multiplient. On ouvre des collèges secondaires, des écoles pour apprendre un métier, des écoles ménagères, des écoles pour former des enseignants et des universités.

Une école primaire en milieu rural.

Au début du 20ᵉ siècle, six enfants sur dix fréquentent l'école. Que font les autres ? Ils travaillent à la ferme ou dans les usines. Ils sont domestiques, livreurs d'épicerie ou employés de magasin pour un salaire de misère. Plusieurs filles doivent rester à la maison pour garder leurs jeunes frères et sœurs.

école ménagère

École réservée aux filles où on leur enseigne les soins du ménage, la cuisine, la couture et l'éducation des enfants.

Au Québec, l'école primaire ne deviendra obligatoire qu'en 1942, plus de 50 ans après l'Ontario.

La campagne s'agrandit toujours

Jusqu'au début du siècle dernier, de nouvelles régions **rurales** continuent de s'ouvrir au peuplement. Dans les années 1910, l'Abitibi est le dernier territoire de colonisation. Les choses n'ont pas beaucoup changé. On y construit des habitations toutes simples avec le bois des terres défrichées. Dans les régions plus anciennes, on rénove. Comme beaucoup de gens délaissent la campagne pour la ville ou les États-Unis, on construit peu de nouvelles maisons.

rural

Qui est lié à la campagne.

Vivre dans une grande ville

L'urbanisation, c'est la concentration de la population dans les villes. Ce phénomène n'est pourtant pas nouveau. Depuis le 17ᵉ siècle, les habitants de la vallée du Saint-Laurent se sont regroupés pour faire du commerce dans les postes qui, plus tard, allaient devenir les villes du Québec. Ce qui change au 19ᵉ siècle, c'est l'industrialisation. L'ouverture de manufactures et d'usines amène beaucoup de monde dans les villes et les villages.

La ville de Rouyn en Abitibi vers 1920.

Dans la seconde moitié du 19ᵉ siècle, les quartiers ouvriers se développent dans la fumée des usines. On construit à peu de frais des **duplex** et des **triplex** en rangées pour les familles de travailleurs. Ces logements sont étroits, mal éclairés et mal aérés. Les cours extérieures, où se trouvent parfois des toilettes, ainsi que les ruelles sont encombrées de déchets.

Une arrière-cour, à Montréal.

Les immeubles d'habitation sont construits en bois généralement recouvert de briques.

duplex
Un immeuble qui renferme deux appartements sur deux étages.

triplex
Un immeuble possédant trois appartements.

L'hygiène publique

Les quartiers ouvriers de Montréal font face à des ennemis de taille : les maladies contagieuses. Ces dernières sont responsables de nombreux décès. La mauvaise qualité de l'eau et du lait fait également de nombreuses victimes. Le quart des enfants meurent avant l'âge de un an.

Il faudra attendre les années 1910 pour que l'eau de Montréal soit désinfectée et filtrée.

hygiène
Ensemble de moyens pour préserver et améliorer la santé d'un individu ou d'une communauté.

pasteurisé
Débarrassé des microbes qui peuvent rendre malade. On doit la pasteurisation à Louis Pasteur.

Voici une «goutte de lait», un endroit où l'on distribue gratuitement du lait pasteurisé et où l'on donne des conseils aux nouvelles mamans.

aqueduc

Canal souterrain qui conduit l'eau dans différents points de la ville.

combustible

Matériau qui brûle et produit de la chaleur.

Petit à petit, la situation s'améliore. La ville a maintenant des **aqueducs** pour acheminer l'eau et des égouts. On organise des services de pompiers pour mieux combattre les incendies. Grâce à l'électricité, les rues sont éclairées et les tramways circulent d'un bout à l'autre de la ville. De plus en plus de logements sont chauffés au charbon, un **combustible** moins cher que le bois et plus efficace. Au début du 20e siècle, l'éclairage électrique fait même son entrée dans certains foyers aisés.

Une lampe électrique du début du 20e siècle.

Au fil des ans, les bourgeois les plus riches s'éloignent des quartiers trop peuplés et trop sales. Ils se font construire de magnifiques demeures à l'écart de la vieille ville et des quartiers ouvriers. L'air y est meilleur; les alentours sont plantés d'arbres et agrémentés de parcs.

Montréal et Québec demeurent les villes les plus importantes. Dans la seconde moitié du 19e siècle, d'autres villes se développent. Parmi les principales, on retrouve Trois-Rivières, Sorel, Saint-Hyacinthe, Lévis, Sherbrooke, Hull, Rivière-du-Loup et Chicoutimi.

Au début du 20e siècle, Montréal est la métropole du Canada, c'est-à-dire la ville la plus importante du pays. On y trouve une dizaine de gratte-ciel... de dix étages!

La luxueuse résidence de U.H. Dandurand de la rue Sherbrooke à Montréal.

Une soirée de danse.

Se divertir à la campagne et à la ville

À la campagne, les soirées de chant et de danse restent toujours très populaires. Au début de l'automne, la récolte du maïs est l'occasion d'une veillée très particulière : il s'agit de l'épluchette de blé d'Inde. Cette **corvée** consiste à retirer l'enveloppe des épis de maïs, puis à ôter les grains pour les conserver. Après le travail, on fait bouillir les plus beaux épis, on prépare un grand repas, et on termine la journée au son du violon et de l'accordéon.

À la ville, au 19e siècle, les loisirs et les sports sont réservés aux plus nantis, surtout des Canadiens anglais. La raquette, le patinage, le curling, le golf ou la natation sont des sports pratiqués dans des clubs privés. À la fin de ce siècle, certains loisirs deviennent accessibles aux travailleurs. Ceux-ci font un pique-nique dans un parc ou encore montent dans les manèges d'un parc d'attractions. Les Montréalais apprécient beaucoup les parties de baseball et de hockey. Le faible coût des billets leur permet aussi d'aller au théâtre et au cinéma.

CORVÉE

Travail en commun, entre voisins, amis ou membres de la famille, occasionnel et gratuit.

Le parc La Fontaine, à Montréal.

Les «vues animées» à Montréal

À la toute fin du 19e siècle, des images animées sont projetées pour la première fois à Paris, en France. La première salle de projection au monde, consacrée uniquement au cinéma, ouvre ses portes à Montréal, en 1906. Dès son ouverture, le Ouimetoscope, du nom de son fondateur, Léon-Ernest Ouimet, attire les foules.

Le Ouimetoscope.

On y présente des films muets venus d'Europe et des États-Unis, avec des sous-titres en français. L'Église catholique n'apprécie pas beaucoup le cinéma. Elle interdit la vente de billets le dimanche. Rusé, Léon-Ernest Ouimet déjoue le règlement en vendant des bonbons à 10 cents avec un billet de cinéma gratuit.

À cette époque, le cinéma est appelé les «vues animées» ou les «p'tites vues».

Vie culturelle

La population croissante des villes, l'amélioration des transports, les magasins remplis de marchandises vont transformer la vie quotidienne de la société québécoise au début du 20e siècle. Toutefois, l'Église catholique réagira à toutes ses transformations.

La nourriture de l'épicerie

À la ferme, les femmes cuisinent la soupe aux pois, le lard, les pommes de terre. Certaines d'entre elles **boulangent** encore leur pain une fois la semaine. La soupe au chou, la soupe au riz, la **galette de sarrasin**, la viande de volaille, de porc et de bœuf se retrouvent aussi sur la table des cultivateurs. On boit de l'eau, du lait ou du thé. Les jours de fête, on se régale de beignes et de tartes aux fruits arrosées de crème fraîche.

boulanger
Préparer et cuire le pain.

galette de sarrasin
Crêpe faite de farine de sarrasin, une céréale qu'on appelle aussi le blé noir.

Comme certaines fermes se spécialisent dans les produits laitiers, les femmes doivent compléter l'épicerie chez le marchand général. La pratique est la même à la ville où il faut tout acheter à l'épicerie ou au marché. Voici quelques ingrédients de l'alimentation d'une famille ouvrière dans les années 1920.

Du fromage.

L'alimentation d'une famille ouvrière vers 1920		
Produits laitiers	**Œufs et viande**	**Légumes**
Lait	Œufs	Carottes
Beurre	Bœuf frais	Betteraves
Fromage	Bœuf salé	Oignons
	Poisson	Pommes de terre
	Graisse	Pois secs
		Tomates en conserve
Fruits	**Céréales**	**Divers**
Pommes	Pain	Sucre
Oranges	Farine	Cacao
Prunes	Macaroni	Beurre d'arachide
Figues	Riz	Thé
	Gruau d'avoine	Sirop de maïs

Des œufs.

Des figues.

Au début du 20ᵉ siècle, en survolant la campagne, j'ai vu de nombreux potagers. J'en ai même vu à la ville, dans la cour des immigrants italiens. C'est d'ailleurs grâce à eux si on aime tant les tomates… et les pâtes !

La glacière, un meuble très pratique.

Les gens de la ville possèdent une glacière, un meuble garde-manger. Dans le compartiment du dessus, on place un bloc de glace pour refroidir les aliments.

Les vêtements du grand magasin

L'apparition de la machine à coudre, à la fin du 19e siècle, facilite la confection de vêtements chez soi. À la ville, on peut aussi se procurer des vêtements dans les grands magasins.

À la campagne, on continue à tisser la laine et le lin pour en faire des robes, des jupons, des chemises, des pantalons, des manteaux ou des châles. Mais on utilise aussi des tissus de laine et de coton achetés au magasin général ou par catalogue.

Regarde cette photographie. Elle montre des jeunes mariés vêtus à la mode du début du 20e siècle.

Une machine à coudre.

Grâce à la machine à coudre et aux patrons, ces modèles de couture en papier que l'on trouve en magasin, l'ouvrière, en tenue du dimanche, peut ressembler à la bourgeoise.

chemise

robe à manches longues

jabot de dentelle

cravate

veston

gilet

robe étroite aux hanches

La photo de mariage de M. et Mme Beaulieu en 1910.

L'Église catholique présente partout

À partir du milieu du 19ᵉ siècle, l'Église catholique prend beaucoup d'importance. Chaque village et chaque quartier de la ville deviennent des **paroisses**. Les prêtres sont de plus en plus nombreux. Les **communautés religieuses** se multiplient; plusieurs proviennent même de la France. L'Église participe à tous ces domaines de la société : l'éducation, le développement des nouvelles régions, les soins aux malades, l'aide aux personnes âgées ou aux orphelins, les syndicats, les bibliothèques ou encore les journaux.

> Au début du 20ᵉ siècle, la plupart des Québécois sont catholiques et pratiquants. Les autres sont principalement des protestants.

paroisse

Division du territoire faite par l'Église. La paroisse est dirigée par un prêtre, appelé curé.

communauté religieuse

Groupe de femmes ou d'hommes catholiques qui ont choisi de vivre ensemble et de suivre les mêmes règles de vie religieuse.

Salle des malades (St-Patrice) à l'Hôtel-Dieu de Montréal vers la fin du 19ᵉ siècle.

L'Église surveille aussi la vie plus intime des Québécois. Elle interdit certains loisirs comme la danse, le cinéma ou le théâtre. De la naissance à la mort, la religion marque les étapes de la vie à travers des cérémonies religieuses comme le baptême, le mariage et les funérailles. On encourage la prière en famille et la présence à la messe du dimanche. À la campagne, le curé bénit le pain, l'eau du puits, les semences et les récoltes. À la ville, l'Église met sur pied toutes sortes d'organisations et de célébrations.

La fête dans les rues

La Fête-Dieu a lieu à la fin du printemps. On fait une grande procession dans les rues, une sorte de défilé religieux où les gens chantent et prient pendant que les cloches de l'église sonnent. Au-dessus des rues, on construit des arches faites de branches de sapin ou de cèdre. Tout le monde défile vêtu de ses plus beaux habits. Le prêtre défile lui aussi, avec une hostie, une petite rondelle de pain qui représente le corps de Jésus, le fils de Dieu. La fête se termine par une messe en plein air.

La procession de la Fête-Dieu.

Des arts sous surveillance

Au début du 20ᵉ siècle, les œuvres littéraires comme le roman, la poésie ou le conte sont examinées de très près par l'Église. C'est ce qu'on appelle la censure. Ainsi, les prêtres **condamnent** les histoires d'amour passionnées ou les enquêtes sur des meurtres mystérieux. Les auteurs québécois décrivent donc plutôt la vie à la ferme, celle des Canadiens français des nouvelles régions ou des héros de la Nouvelle-France.

condamner

Interdire ou empêcher quelque chose.

Les peintres et les sculpteurs canadiens-français travaillent surtout à la décoration des édifices religieux. Le peintre Ozias Leduc est un des plus importants de son époque. On réalise aussi des œuvres d'art qui représentent des grands moments de l'histoire de la province de Québec et des scènes de la vie quotidienne.

Une œuvre d'inspiration religieuse réalisée par Ozias Leduc.

Les peintres anglophones sont souvent issus de familles bourgeoises et ils ne comptent pas sur l'aide de l'Église pour gagner leur vie. Ils voyagent beaucoup, surtout en Europe. Leurs peintures sont pleines de couleurs qu'ils appliquent à petits coups de pinceau. Regarde ce magnifique tableau de James Wilson Morrice.

Une sculpture d'Alfred Laliberté.

Depuis la seconde moitié du 19ᵉ siècle, les artistes, qui peignaient le portrait des gens fortunés, ne sont plus très populaires. On préfère désormais se faire photographier.

Un tableau très coloré de James Wilson Morrice montrant un marché d'Afrique du Nord.

Les arts populaires

Les gens, surtout à la campagne, fabriquent aussi de beaux objets pour embellir la vie de tous les jours. Les femmes tissent des couvre-lits, assemblent des courtepointes, tressent des chapeaux de paille ou crochètent des tapis. Les hommes sculptent le bois et le métal.

Savais-tu que les courtepointes étaient faites de retailles de tissus? Les femmes cousaient souvent des courtepointes à motifs géométriques très réguliers et symétriques. Je préfère le joyeux désordre des pointes folles comme celles-ci avec leurs retailles aux formes irrégulières et aux tissus variés ainsi que leurs jolis points de broderie.

Une courtepointe à motif de pointes folles.

Héritage de la Belle Époque

On surnomme les premières années du 20e siècle la Belle Époque. Pourquoi? Parce qu'elle constitue une période de grande prospérité économique. La société québécoise de cette période a beaucoup de points en commun avec la nôtre. Sa population est composée de communautés de plus en plus variées. Un gouvernement élu dirige la vie politique. Les usines, les magasins, la publicité font partie de la vie de tous les jours.

Toutefois, deux réalités de la Belle Époque marquent encore profondément notre vie quotidienne ainsi que le monde du travail. Essaie d'imaginer ta maison sans électricité. De la même façon, la vie des travailleurs ne serait pas la même sans l'existence des syndicats.

La maison tout électrique

Depuis le tramway et l'éclairage des rues, l'électricité s'est répandue d'un bout à l'autre de la province, à la ville comme à la campagne. Elle a aussi envahi l'intérieur de la maison. Tout au long du 20ᵉ siècle, l'invention d'un grand nombre d'appareils électroménagers a facilité les tâches quotidiennes des femmes : la cuisinière, le fer à repasser, le mélangeur, l'aspirateur, le réfrigérateur, etc. Pour te donner une idée des changements, voici un aperçu de l'évolution de la machine à laver.

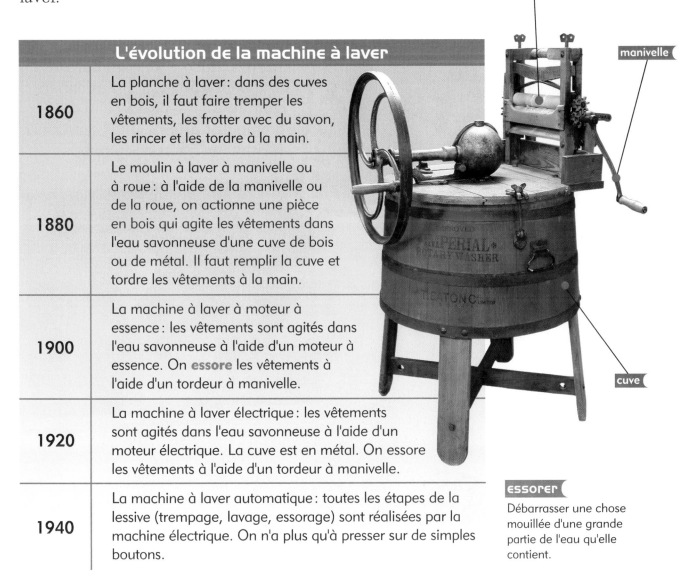

tordeur à manivelle

manivelle

cuve

L'évolution de la machine à laver	
1860	La planche à laver : dans des cuves en bois, il faut faire tremper les vêtements, les frotter avec du savon, les rincer et les tordre à la main.
1880	Le moulin à laver à manivelle ou à roue : à l'aide de la manivelle ou de la roue, on actionne une pièce en bois qui agite les vêtements dans l'eau savonneuse d'une cuve de bois ou de métal. Il faut remplir la cuve et tordre les vêtements à la main.
1900	La machine à laver à moteur à essence : les vêtements sont agités dans l'eau savonneuse à l'aide d'un moteur à essence. On **essore** les vêtements à l'aide d'un tordeur à manivelle.
1920	La machine à laver électrique : les vêtements sont agités dans l'eau savonneuse à l'aide d'un moteur électrique. La cuve est en métal. On essore les vêtements à l'aide d'un tordeur à manivelle.
1940	La machine à laver automatique : toutes les étapes de la lessive (trempage, lavage, essorage) sont réalisées par la machine électrique. On n'a plus qu'à presser sur de simples boutons.

essorer
Débarrasser une chose mouillée d'une grande partie de l'eau qu'elle contient.

Les applications de l'électricité ne s'arrêtent pas là. C'est aussi grâce à cette source d'énergie si tu peux écouter la radio, regarder la télévision, utiliser un ordinateur ou prendre le métro.

Les luttes syndicales

Le monde du travail a bien changé depuis le début du 20e siècle. Les syndicats ont mené de nombreuses luttes pour obtenir de meilleurs salaires et de meilleures conditions de travail. Dans les années 1940, la semaine de travail passe de 48 à 44 heures. Autour des années 1950, les syndiqués travaillent 40 heures ou moins en une semaine de 5 jours.

Au fil des ans, les syndicats ont fait de plus en plus de place aux femmes. Encore aujourd'hui, on lutte pour que les femmes obtiennent un salaire égal à celui des hommes. Certains chefs syndicaux sont maintenant des femmes.

Des téléphonistes en grève, en 1980.

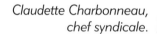

Ce ne sont pas tous les travailleurs qui sont syndiqués. Il faut attendre les années 1970 pour que le gouvernement protège les droits des travailleurs non syndiqués avec la Loi sur les normes du travail.

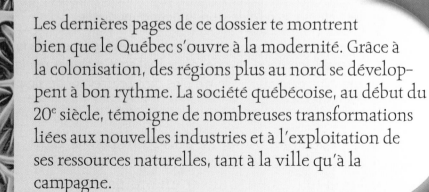

Claudette Charbonneau,
chef syndicale.

Les dernières pages de ce dossier te montrent bien que le Québec s'ouvre à la modernité. Grâce à la colonisation, des régions plus au nord se développent à bon rythme. La société québécoise, au début du 20e siècle, témoigne de nombreuses transformations liées aux nouvelles industries et à l'exploitation de ses ressources naturelles, tant à la ville qu'à la campagne.

La société canadienne des Prairies vers 1905

SAM WING
LAUNDRY.

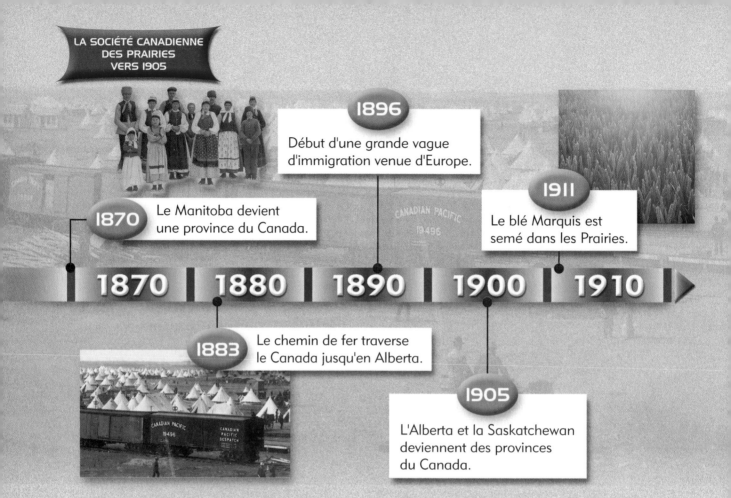

1896
Début d'une grande vague d'immigration venue d'Europe.

1911
Le blé Marquis est semé dans les Prairies.

1870
Le Manitoba devient une province du Canada.

1883
Le chemin de fer traverse le Canada jusqu'en Alberta.

1905
L'Alberta et la Saskatchewan deviennent des provinces du Canada.

1870 | 1880 | 1890 | 1900 | 1910

Quelle image as-tu des Prairies canadiennes d'aujour-d'hui ? Tu découvriras, dans les pages qui vont suivre, que ce magnifique territoire s'étend à perte de vue! Au début du 20ᵉ siècle, il est habité par une population aux origines et aux croyances diverses composée d'Amérindiens, de Métis et de colons en provenance de l'Europe, des États-Unis et d'autres provinces du Canada. Ces habitants enrichiront, grâce à leur savoir-faire, le Manitoba, l'Alberta et la Saskatchewan. À toi maintenant de les connaître!

Territoire et population

Tu vas maintenant découvrir la partie ouest du Canada, cet immense territoire qu'on appelle les Prairies, avec son relief, ses richesses naturelles et son climat. Tu feras aussi la connaissance des populations qui l'habitent au tout début du 20ᵉ siècle.

La plaine à perte de vue

La région des Prairies réunit trois provinces : le Manitoba, la Saskatchewan et l'Alberta. On la nomme ainsi car, avant les années 1870, sa partie sud était une vaste prairie, c'est-à-dire une **plaine**, sans arbres, couverte d'herbe qui abritait d'importants troupeaux de bisons. À l'aube du 20e siècle, ces terres fertiles sont plutôt recouvertes de champs ou servent de **pâturages** pour le **bétail**.

plaine
Grande étendue de terrain plat ou ondulé.

pâturage
Lieu où les animaux viennent manger l'herbe qui y pousse.

bétail
Ensemble des animaux d'élevage d'une ferme comme les chevaux, les vaches, les bœufs, les moutons, les porcs et les chèvres. La volaille ne fait pas partie du bétail.

Les Prairies en 1905

Le paysage des provinces de l'Ouest du Canada est beaucoup plus qu'une grande étendue de terre plate. Découvre les différentes régions des Prairies à l'aide de la carte ci-contre, des photos et des tableaux suivants. Tu peux aussi consulter la carte du relief du Canada à la page IV.

Connais-tu la signification des noms des provinces des Prairies ?

La signification des noms des provinces		
Nom de la province	Signification	Année d'entrée dans la fédération canadienne
Manitoba	mot amérindien signifiant « passage du Grand Esprit ». Le lac Manitoba se rétrécit en son centre pour former un étroit passage. Les vagues y produisent des battements qui provenaient, selon les Amérindiens, du tambour de l'esprit Manitou, la grande force qui habite toutes les choses.	1870
Saskatchewan	mot amérindien signifiant « rivière aux flots rapides ». Il s'agit de la rivière qui traverse la province d'ouest en est.	1905
Alberta	en l'honneur d'une des filles de la reine de Grande-Bretagne, la princesse Louise Caroline Alberta.	1905

La forêt boréale au nord du Manitoba.

Les paysages des Prairies

Paysage	Emplacement	Végétation
Prairies	sud du Manitoba, de la Saskatchewan et de l'Alberta	terres agricoles prairie
Plaines boréales	centre du Manitoba et de la Saskatchewan centre et nord de l'Alberta	forêt boréale prairie terres agricoles
Bouclier canadien	est et nord du Manitoba nord de la Saskatchewan	forêt boréale
Cordillère de l'Ouest	ouest de l'Alberta	forêt subalpine

Forêt boréale

Conifères	Feuillus
pin gris	peuplier faux-tremble
épinette blanche	bouleau à papier
épinette noire	saule
sapin baumier	

Forêt subalpine

Conifères
épinette d'Engelmann
sapin subalpin
pin tordu

Une terre agricole en Alberta.

Le climat dans la partie sud des Prairies est continental.
Cela signifie que les changements de température entre
l'hiver et l'été sont très importants. L'hiver demeure froid et
long, tandis que l'été est chaud et plutôt court. C'est aussi un
climat sec. Les **précipitations** sont faibles et surviennent
surtout au printemps et à l'automne. Le nord de la région
jouit d'un climat subarctique. L'hiver y est long et très froid,
alors que l'été est frais et court. Les précipitations y sont un
peu plus abondantes qu'au sud.

précipitations

Chute d'eau provenant de
l'atmosphère sous forme
liquide (pluie, brouillard)
ou solide (neige, grêle).

Climatogramme de Regina

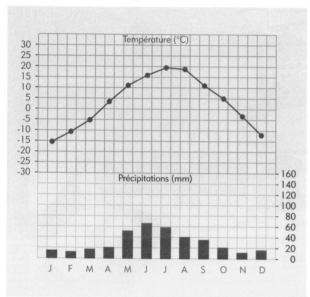

Climatogramme d'Uranium City

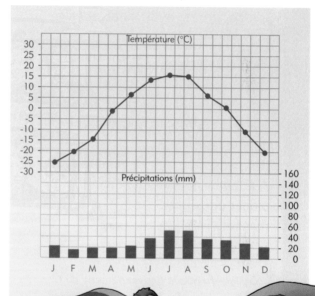

Voici les climatogrammes de deux
villes de la Saskatchewan. Selon toi,
laquelle de ces villes est située le
plus au nord de la province?

*Les montagnes Rocheuses, dans la
cordillère de l'Ouest, en Alberta.*

Protéger la nature

Vers la fin du 19ᵉ siècle, le gouvernement du Canada commence à préserver des parties de son territoire où la nature est d'une grande beauté. En transformant ces lieux en parcs naturels, le gouvernement empêche les activités humaines de détruire un environnement fragile. Il permet aussi à toute la population du pays de profiter de ces endroits préservés.

On fait aussi des efforts pour protéger les animaux menacés de disparition. C'est le cas des bisons, sauvés par des éleveurs des Prairies dans les années 1870. En 1906, le gouvernement achète leur troupeau de 700 bêtes pour le placer dans une **réserve**.

réserve
Territoire où la végétation et les animaux sont protégés.

La chasse aux bisons.

Savais-tu que le gouvernement du Canada avait d'abord encouragé l'élimination des bisons des Prairies? Ainsi débarrassée du bison, la prairie pouvait servir à l'agriculture.

Une mosaïque de peuples

Une mosaïque, c'est un assemblage de petites pièces multicolores formant un dessin. À la manière d'une mosaïque, la population des Prairies, au début du 20ᵉ siècle, réunit des gens d'origine, de religion et de langue très variées.

Autrefois, des Amérindiens de différentes nations vivaient un peu partout dans la région. Au 19ᵉ siècle, ces peuples **nomades** ont été écartés de leurs territoires de chasse par les colons. Ils vivent maintenant dans des **réserves** instaurées par le gouvernement canadien. Les Métis, nés de mariages entre des hommes d'origine européenne et des Amérindiennes, habitent aussi les Prairies, principalement au Manitoba et en Saskatchewan.

nomade
Personne qui n'a pas d'habitation fixe et se déplace souvent pour trouver sa nourriture.

réserve
Territoire destiné aux Amérindiens.

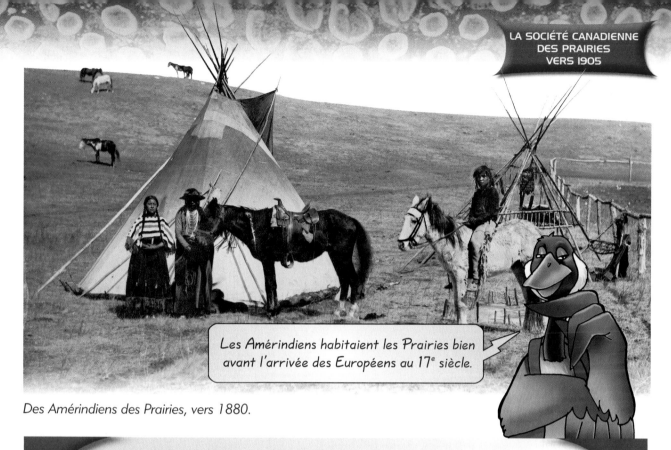

Les Amérindiens habitaient les Prairies bien avant l'arrivée des Européens au 17e siècle.

Des Amérindiens des Prairies, vers 1880.

Les enfants du commerce de la fourrure

Une famille métisse.

De nombreux voyageurs de commerce, qui recherchaient des fourrures dans le nord des Prairies, ont épousé des Amérindiennes. Leurs enfants, les Métis, tiennent de leur mère l'amour de la liberté, la connaissance du territoire et de la culture amérindienne. De leur père, ils héritent de la langue, de la religion et de la connaissance du mode de vie des colons. La majorité d'entre eux parlent français et pratiquent la religion **catholique**.

Tout au long du 19e siècle, plusieurs Métis se déplacent pour chasser le bison, pratiquent l'agriculture et travaillent dans le commerce de la fourrure comme **interprètes** ou **canoteurs**.

La disparition des grands troupeaux de bisons amène les Métis à vivre de l'élevage, de l'agriculture et de la pêche.

catholique
Personne qui croit en un seul Dieu, créateur de l'univers, et dans les enseignements de son fils Jésus.

interprète
Personne qui traduit à voix haute une langue vers une autre.

canoteur
Personne qui se déplace en canot.

Des Amérindiens avec des missionnaires en Alberta vers 1885.

À partir des années 1870, le gouvernement canadien encourage le peuplement des Prairies. Il fait de la publicité au Canada, mais aussi aux États-Unis et en Europe, pour offrir des terres gratuites aux colons. Au début, la plupart des nouveaux arrivants sont des **anglophones** d'origine britannique ou **états-unienne**. Beaucoup viennent aussi de l'est du Canada. Il y a également ment des **francophones** du Québec, des États-Unis et de la France. Ces nouveaux colons blancs ne respectent pas les droits des Métis qui habitent ce territoire depuis longtemps. Cette situation provoque deux révoltes métisses, dirigées par Louis Riel.

Plusieurs de ces immigrants sont des chrétiens **protestants** ou catholiques. Ils sont accompagnés par leurs **pasteurs** ou leurs prêtres et par des **missionnaires**. Ces personnes s'occupent des célébrations religieuses, mais aussi de l'éducation et des soins de santé des colons, des Amérindiens et des Métis.

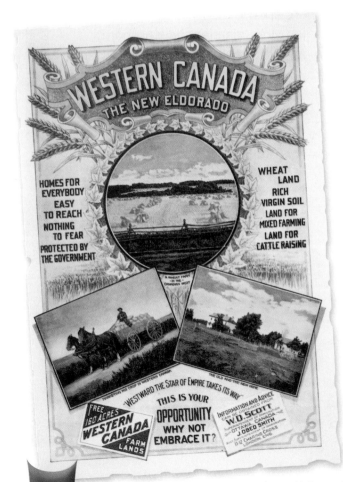

Une publicité du gouvernement canadien offrant des terres gratuites aux colons.

Une caravane d'immigrants venant des États-Unis.

Dès la fin du 19ᵉ siècle, de nombreux immigrants arrivent de tous les coins de l'Europe. Un petit nombre d'entre eux vient même de Chine. Ils débarquent dans les ports de Québec, de Montréal ou d'Halifax, en Nouvelle-Écosse. Puis ils prennent le train vers l'Ouest. Ils sont à la recherche d'une bonne terre pour nourrir leur famille. Plusieurs ont été **opprimés** dans leur pays en raison de leurs croyances religieuses. En venant au Canada, ils espèrent pratiquer leur religion en paix et vivre librement. Que ce soit des Allemands, des États-Uniens, des Polonais, des Russes ou des **Scandinaves**, ils n'ont qu'un seul désir : avoir une vie meilleure.

Des immigrants allemands.

> **opprimer**
> Empêcher d'exprimer une opinion, de manifester ou de pratiquer une religion.

> **Scandinave**
> Habitant de la Scandinavie, une région d'Europe du Nord qui comprend la Suède, la Norvège, le Danemark et l'Islande.

Comme les Amérindiens et les Métis ne sont que quelques dizaines de milliers, la population des Prairies croît surtout grâce à l'immigration. En regardant attentivement le diagramme suivant, tu peux constater que le nombre d'habitants se multiplie très rapidement durant les premières décennies du 20ᵉ siècle.

La population des Prairies de 1901 à 1921

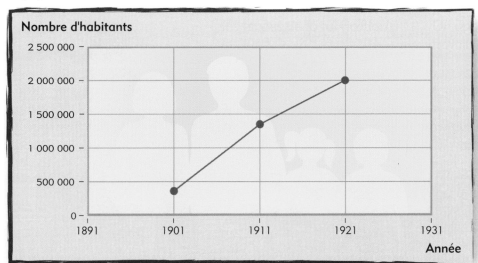

> Au fil des ans, pour se comprendre et faire des affaires, les immigrants des Prairies vont adopter l'anglais comme langue d'usage. Ils vont progressivement l'imposer aux Canadiens français de la région.

Activités économiques

Autrefois, la chasse pratiquée par les Amérindiens était la principale activité économique dans la région des Prairies. Les Européens, quant à eux, y pratiquent la **traite** des fourrures à partir du 17ᵉ siècle. Les premiers fermiers ne s'installent au Manitoba qu'au début du 19ᵉ siècle. Et à partir des années 1870, la croissance de la population et la construction du chemin de fer bouleversent le Manitoba, la Saskatchewan et l'Alberta.

Tu vas découvrir l'impressionnant développement de l'**économie** des Prairies.

traite
Commerce et transport de marchandises.

économie
Science liée aux aspects de la production, de la distribution et de la consommation de biens et de ressources dans une société.

Le blé de l'Ouest

À l'aube du 20ᵉ siècle, l'agriculture est devenue la plus importante activité économique des provinces de l'Ouest. La plupart des colons vivent à la campagne. Comme tous les cultivateurs, les fermiers des Prairies suivent le rythme des saisons. Dans le sud, ils dépendent beaucoup de la pluie. Si le sol est trop sec, les colons peuvent difficilement enlever la couche compacte de terre et d'herbe qui recouvre les terres à labourer. De même, si les fermiers sèment et qu'il ne pleut pas, les graines ne pousseront pas.

Les fermiers labourent à l'aide d'une charrue tirée par des chevaux ou des bœufs.

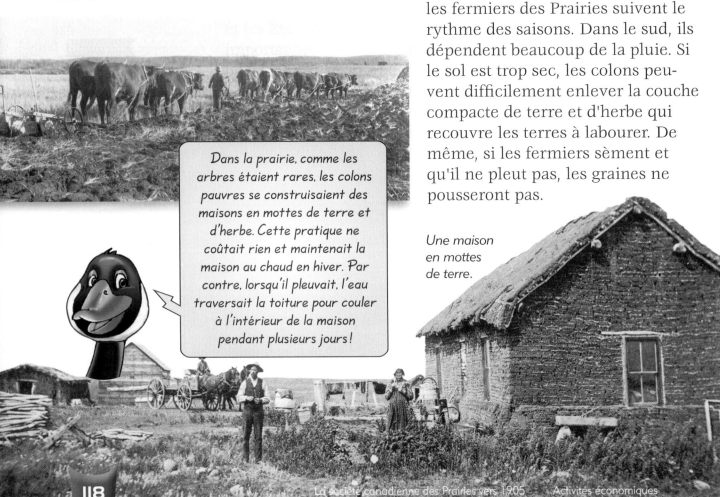

Dans la prairie, comme les arbres étaient rares, les colons pauvres se construisaient des maisons en mottes de terre et d'herbe. Cette pratique ne coûtait rien et maintenait la maison au chaud en hiver. Par contre, lorsqu'il pleuvait, l'eau traversait la toiture pour couler à l'intérieur de la maison pendant plusieurs jours !

Une maison en mottes de terre.

Dans le nord des Prairies, le défrichement demeure plus difficile, car il faut aussi abattre les arbres, puis retirer les souches. Comme le climat est moins sec, les fermiers cultivent des plantes qui supportent mieux la pluie, comme l'avoine, l'orge et le foin pour nourrir les animaux. Ils élèvent aussi de la volaille et du bétail. Durant l'hiver ou après les semailles, les hommes partent souvent en forêt, dans des camps de bûcherons, pour gagner des revenus supplémentaires. En Alberta, les hommes vont plutôt travailler dans les **mines**. Les femmes sont alors responsables de toute la ferme.

Les colons venus des États-Unis, ou d'autres provinces canadiennes, possèdent généralement leurs machines agricoles, comme des charrues, des semoirs, des moissonneuses-lieuses et des batteuses. Les autres travaillent avec une charrue, une **faucille** et un **fléau**. Le tracteur n'apparaîtra que dans les années 1920.

Cependant, plusieurs colons parviennent à acheter de la machinerie grâce à des tâches faites à l'extérieur de la ferme ou à la vente de produits comme les œufs, la viande de porc ou les légumes.

mine

Terrain renfermant un gisement d'où l'on peut extraire des minerais comme le fer ou le charbon.

faucille

Instrument pour couper le blé, composé d'un manche et d'une lame recourbée.

fléau

Instrument pour battre le blé, composé de deux bouts de bois liés par des courroies.

La moissonneuse-lieuse coupe les épis et les met en gerbes.

Le semoir permet d'ensemencer rapidement un champ.

Un village des Prairies.

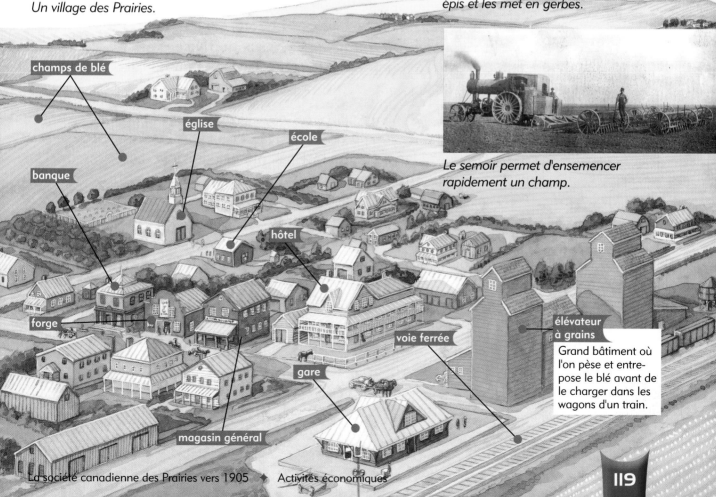

champs de blé

église

école

banque

hôtel

forge

voie ferrée

élévateur à grains

Grand bâtiment où l'on pèse et entrepose le blé avant de le charger dans les wagons d'un train.

gare

magasin général

grenier

Partie d'un bâtiment, généralement située sous le toit, où l'on conserve les grains des céréales. On surnomme ainsi une région où l'on cultive beaucoup de blé.

exporter

Envoyer et vendre des marchandises à l'extérieur d'un pays.

Au début du 20e siècle, la culture du blé dans les provinces de l'Ouest connaît un énorme succès. À un point tel que le Canada se donne le titre de **grenier** du monde. Ce n'est pas étonnant car, à cette époque, plusieurs pays européens ont besoin du blé canadien pour nourrir leur importante population. Grâce au chemin de fer, le blé est transporté rapidement vers les ports de Montréal, Québec et Halifax, puis **exporté** vers l'Europe.

À partir de grains venus d'Europe, des chercheurs du gouvernement canadien ont développé une sorte de blé mieux adaptée au climat rude et sec des Prairies: le blé Marquis. Savais-tu que l'on surnommait ce blé «l'or des Prairies»?

Des cow-boys au Canada

Les premiers grands éleveurs de bétail et leurs gardiens de troupeaux, qu'on appelle les cow-boys, viennent du sud des États-Unis. Ces derniers rassemblent leurs bœufs, puis les conduisent vers le nord pour leur faire brouter l'herbe des plaines.

À la fin du 19e siècle, il devient impossible pour eux de traverser librement les vastes plaines états-uniennes avec des troupeaux, car toutes les terres sont divisées et appartiennent à des agriculteurs. Or, les cow-boys ne peuvent pas conduire le bétail sur des terres cultivées.

Certains cow-boys parviennent alors jusqu'à la prairie canadienne tout au sud de l'Alberta et de la Saskatchewan. À l'époque, les colons n'ont pas encore défriché cette région. Les éleveurs louent, à bon marché, ces grands pâturages au gouvernement canadien. Ils y installent leurs immenses fermes qu'on appelle des ranchs. Ils vendent leurs bêtes aux bouchers des Prairies ou les exportent vers le reste du Canada, en Grande-Bretagne et aux États-Unis.

Eh oui, tu en conviens, ce n'est pas seulement une légende racontée au cinéma ou dans les bandes dessinées. Les cow-boys et les ranchs ont vraiment existé!

Des cow-boys menant un troupeau au début du 20e siècle.

La vie de cow-boy

Hiver comme été, le jour comme la nuit, la principale tâche du cow-boy consiste à protéger les bêtes appartenant à l'éleveur. Les dangers sont nombreux dans la prairie : les voleurs de bétail, les maladies, les loups ou encore les incendies qui ravagent les champs de blé voisins. Ainsi, les cow-boys ont la réputation d'être des gens courageux, prêts à tout pour sauver le bétail.

Le cow-boy soigne les veaux avec attention. Il doit aussi marquer la peau de tous les bœufs de l'éleveur à l'aide d'un fer. Ce fer est rougi au feu. Chaque ranch possède sa marque distinctive. Le cow-boy peut donc facilement reconnaître ses bêtes, lorsqu'il partage la prairie avec d'autres éleveurs de bétail.

Le costume des cow-boys.

Au début du 20e siècle, l'arrivée massive des colons agriculteurs dans le sud des Prairies ne plaît pas du tout aux éleveurs. Ces derniers ont des bêtes ayant besoin de beaucoup d'herbe pour survivre, et les champs de blé gênent leurs déplacements. De plus, le gouvernement cesse la location des terres aux éleveurs de bétail. Ceux-ci n'ont pas les moyens de les acheter. Et le foin nécessaire pour nourrir des centaines, parfois des milliers de bêtes coûte très cher.

Les années 1910 marquent la fin des grands élevages dans les provinces de l'Ouest. Les cow-boys n'ont plus le droit de laisser le bétail en liberté dans la prairie, car il dévorerait les récoltes de céréales. Les éleveurs se déplacent donc dans de plus petits ranchs à l'ouest de l'Alberta, en région montagneuse, là où l'agriculture n'est pas possible.

Faire des affaires et travailler à la ville

Ne va pas imaginer que tous les colons des Prairies pratiquent l'agriculture ou l'élevage. Au début du 20e siècle, deux personnes sur dix vivent en milieu **urbain**. À cette époque, les villes de l'Ouest connaissent une croissance extraordinaire. Jette un coup d'œil sur le tableau de la page suivante et tu constateras que ces villes se développent beaucoup plus rapidement que celles du Québec.

Les cow-boys aiment organiser des jeux d'adresse. À l'occasion, ils attrapent des animaux au lasso, montent des chevaux sauvages ou des taureaux indociles.

urbain

De la ville.

Tu vois ce que je vois? Un village des Prairies se transforme rapidement en une ville! La population de Calgary, en Alberta, devient dix fois plus importante en l'espace de dix ans!

Croissance de la population de quelques villes du Canada		
Ville	Population	
	1901	1911
Montréal	330 000	490 000
Winnipeg	42 000	136 000
Regina	2 000	30 000
Calgary	4 400	44 000

denrée alimentaire

Produit servant à l'alimentation humaine.

Vers 1900, la ville de Winnipeg, au Manitoba, est un endroit très animé avec ses rues commerciales et ses tramways électriques. Elle constitue la principale ville industrielle des Prairies. Les chemins de fer qui traversent le pays s'y croisent. À cette époque, c'est à Winnipeg que se trouve la plus grande gare de triage du monde, et des milliers de personnes y travaillent : les wagons remplis de marchandises y sont séparés et regroupés avant de repartir vers l'est ou vers l'ouest. En plus du transport, Winnipeg offre toutes sortes de produits et de services aux habitants de la région et aux voyageurs. On y trouve des **denrées alimentaires**, des vêtements, de la machinerie agricole, des chambres d'hôtel, plusieurs restaurants, etc. Winnipeg devient ainsi un grand centre industriel.

La ville de Winnipeg en 1872.

La ville de Winnipeg au début du 20e siècle.

Les petites villes de l'Alberta et de la Saskatchewan profitent aussi du passage de la voie ferrée. À l'origine, elles regroupaient de simples campements de colons. On assiste à l'apparition d'un magasin général, d'un hôtel, d'une gare, d'une banque, d'un cabinet de médecin, puis d'un salon de barbier. La présence des cultivateurs et des éleveurs entraîne la création d'une foule d'industries liées à leurs activités. La forge fabrique et répare les outils agricoles. On y **ferre** aussi les chevaux. La scierie fournit le bois nécessaire à la construction. Le moulin à farine transforme le blé. Les abattoirs tuent les animaux pour la boucherie, et les tanneries traitent les peaux de bœuf pour en faire du cuir.

> Avant le mariage, les jeunes femmes des Prairies travaillent parfois comme maîtresses d'école, comme domestiques chez des gens aisés ou encore dans des hôtels de la région.

ferrer

Poser des fers aux sabots des chevaux pour éviter les blessures.

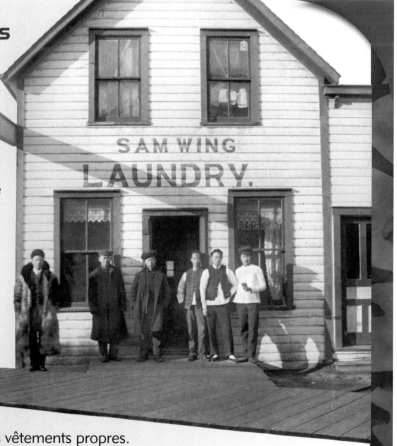

Une blanchisserie-restaurant tenue par des Chinois.

Les restaurants chinois

Après la construction du chemin de fer, le gouvernement canadien interdit aux ouvriers chinois de s'installer sur les terres des Prairies. Dès lors, pour gagner leur vie dans les villes situées le long de la voie ferrée, ces travailleurs ouvrent des restaurants où l'on mange un repas pour 25 cents.

Les Chinois tiennent aussi des blanchisseries où ils nettoient le linge. C'est un travail difficile, qui ne rapporte pas beaucoup. Toute la journée, il leur faut laver, repasser, emballer et livrer les vêtements propres. On doit également couper du bois pour chauffer l'eau de lessive.

Cora Hind (1861-1942), première femme journaliste des Prairies

Cora Hind est une femme remarquable. Née en Ontario, Cora déménage à Winnipeg avec sa tante, à l'âge de 21 ans. Elle rêve de devenir journaliste. Cependant, dans les années 1880, c'est un métier réservé aux hommes. Mais Cora est entêtée. Elle travaille d'abord comme secrétaire, puis elle démarre sa propre entreprise. Cora compose et tape des textes à la machine.

En 1901, elle devient finalement journaliste au *Manitoba Free Press*. Elle s'occupe des nouvelles concernant la vie commerciale et agricole des Prairies. Toute sa vie, Cora Hind défendra activement les droits des femmes.

Cora Hind.

forage

Action de percer un trou dans le sol.

Des travailleurs dans une mine de charbon en Alberta.

Dans le sud de l'Alberta, la découverte de charbon et de gaz naturel, à la fin du 19e siècle, entraîne également le développement de nouvelles villes. Le charbon, extrait des mines, sert au chauffage, à fournir de l'énergie aux centrales électriques et aux locomotives à vapeur. Le gaz naturel, lui, est utilisé pour le chauffage et l'éclairage. Au tout début du 20e siècle, on assiste au **forage** des premiers puits de pétrole. À cette époque, le précieux liquide est brûlé dans des lampes ou il sert au huilage des roues de wagons afin qu'elles ne grincent pas.

Le travail dans les mines est très dangereux. L'abondante poussière de charbon noircit les poumons des mineurs. Il arrive parfois qu'une partie de la mine s'écroule sous le coup d'une explosion. Les mineurs de l'Alberta font souvent la grève pour réclamer de meilleurs salaires et des conditions de travail plus sécuritaires.

Cheval de chair et cheval de fer

Au début du 20ᵉ siècle, le train est le mode de transport par excellence dans les Prairies. Près de 30 000 kilomètres de chemins de fer traversent le Canada d'ouest en est. Le train facilite grandement le peuplement et le commerce, car les personnes et les marchandises peuvent circuler rapidement de l'océan Pacifique jusqu'à l'océan Atlantique. Le gouvernement canadien encourage même la construction de nouvelles voies dans les Prairies, pour mieux servir la population qui défriche le territoire de plus en plus au nord.

Les chemins de fer au Canada dans les années 1910

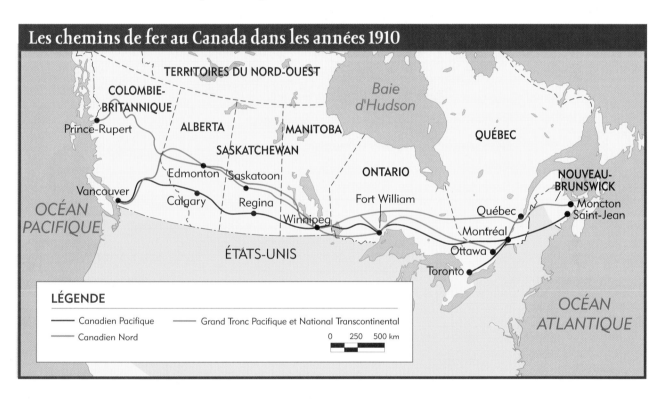

LÉGENDE

— Canadien Pacifique   — Grand Tronc Pacifique et National Transcontinental
— Canadien Nord

0   250   500 km

Un camp de colons venant d'Angleterre en Saskatchewan, en 1903.

La construction de voies ferrées offre aux colons de nombreux emplois temporaires. Elle encourage l'industrie forestière de l'Ouest, qui fournit les traverses en bois, et stimule l'industrie **sidérurgique** du Québec et de l'Ontario, qui fabrique les rails, les crampons et les locomotives.

sidérurgique

Qui concerne la fabrication du fer et de l'acier.

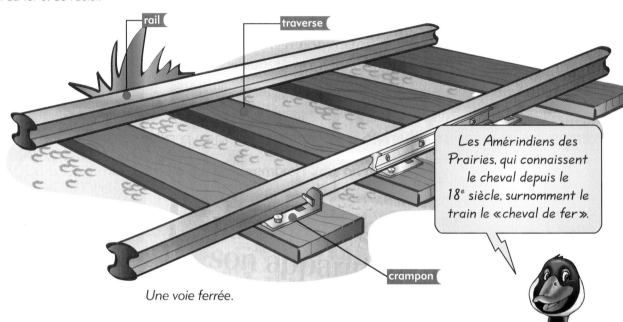

rail

traverse

Les Amérindiens des Prairies, qui connaissent le cheval depuis le 18ᵉ siècle, surnomment le train le «cheval de fer».

crampon

Une voie ferrée.

Toutefois, les habitants des Prairies qui vivent dans les villes et les villages situés loin de la voie ferrée se déplacent encore à l'aide de voitures et de chariots tirés par des chevaux ou des bœufs. L'hiver, ils attellent des traîneaux. Les routes demeurent en terre battue et ne sont pas toujours **carrossables** lorsqu'il pleut. Quelques automobiles apparaissent dans les villes, mais elles coûtent très cher.

carrossable

Qui permet la circulation de voitures.

Tu as pu voir que les Prairies canadiennes, malgré un climat capricieux, se sont développées rapidement. Le chemin de fer a permis l'exportation d'une grande quantité de blé d'excellente qualité et l'arrivée de nombreux colons venus de différents coins de la planète.

La société canadienne de la Côte Ouest vers 1905

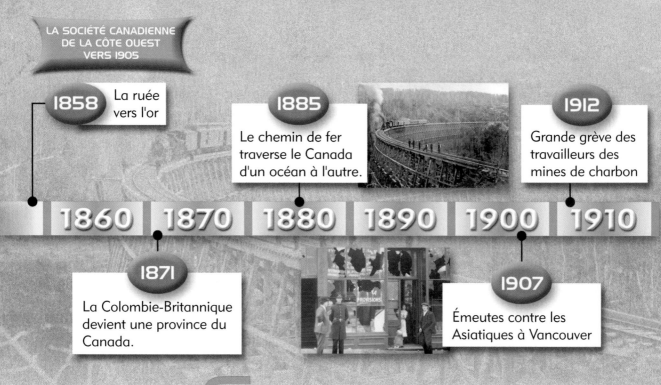

1858 La ruée vers l'or

1885 Le chemin de fer traverse le Canada d'un océan à l'autre.

1912 Grande grève des travailleurs des mines de charbon

1860 | 1870 | 1880 | 1890 | 1900 | 1910

1871 La Colombie-Britannique devient une province du Canada.

1907 Émeutes contre les Asiatiques à Vancouver

Selon toi, quelle année marque le début de la Confédération canadienne? 1867, bien sûr! Cette année-là, les «pères de la Confédération» donnent une devise au Canada : «D'un océan à l'autre». Or, à cette époque, la Colombie-Britannique, sur la côte ouest du continent, n'est pas encore une province canadienne, telle que tu l'entends aujourd'hui. Comme l'exprime la devise, les dirigeants canadiens espèrent qu'un jour le territoire du pays s'étendra de l'océan Atlantique à l'océan Pacifique. Leur rêve sera réalisé, car la Colombie-Britannique se joint au Canada en 1871.

Voici les armoiries du Canada, un ensemble de symboles qui le distingue d'autres pays, et qui représente les différents peuples à l'origine de la fédération.

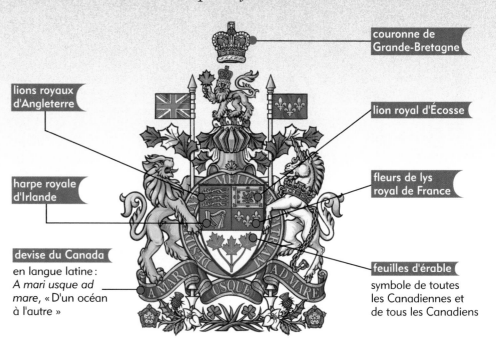

couronne de Grande-Bretagne

lions royaux d'Angleterre

lion royal d'Écosse

harpe royale d'Irlande

fleurs de lys royal de France

devise du Canada
en langue latine :
A mari usque ad mare, «D'un océan à l'autre»

feuilles d'érable
symbole de toutes les Canadiennes et de tous les Canadiens

Territoire et population

La côte ouest du Canada est située à 5000 kilomètres du Québec! Dans les pages suivantes, tu exploreras les paysages variés de ce territoire. Tu rencontreras également des gens qui habitent cette magnifique région au tout début du 20ᵉ siècle.

L'océan et la montagne

La côte ouest du Canada compte une seule province: la Colombie-Britannique. C'est une des plus grandes provinces canadiennes, après le Québec et l'Ontario. Au cœur du territoire montagneux de la cordillère de l'Ouest [⬅ p. IV], les paysages de la Colombie-Britannique sont d'une extraordinaire beauté et d'une grande variété.

La côte du Pacifique

De nombreuses îles protègent la côte de la Colombie-Britannique des tempêtes venant de l'océan Pacifique. Les eaux, entre ces îles et le continent, sont peuplées de mammifères marins, de coquillages et de poissons. Une imposante **chaîne de montagnes**, appelée chaîne Côtière, longe la côte sur plusieurs centaines de kilomètres. Certains de ses sommets, qui peuvent s'élever jusqu'à 4000 mètres, sont coiffés de neiges éternelles. En regardant la carte ci-dessus, tu constateras que la seule **plaine** de la côte se trouve tout au sud, dans le **delta** fertile du fleuve Fraser.

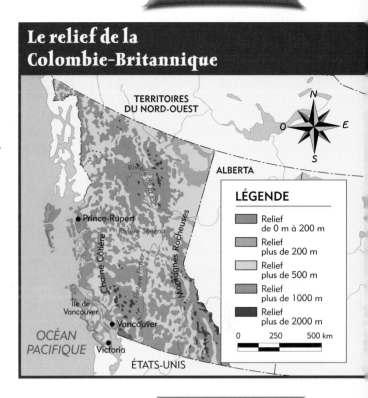

Le relief de la Colombie-Britannique

TERRITOIRES DU NORD-OUEST

Prince-Rupert

ALBERTA

Rivière de la Paix

Rivière Skeena

Chaîne Côtière

Fleuve Fraser

Montagnes Rocheuses

Île de Vancouver

Vancouver

Victoria

OCÉAN PACIFIQUE

ÉTATS-UNIS

LÉGENDE

- Relief de 0 m à 200 m
- Relief plus de 200 m
- Relief plus de 500 m
- Relief plus de 1000 m
- Relief plus de 2000 m

0   250   500 km

chaîne de montagnes
Ensemble de montagnes liées entre elles.

plaine
Grande étendue de terrain assez plat.

delta
Endroit où un fleuve se jette dans la mer et se divise en plusieurs bras formés par les graviers et les boues que le courant du fleuve transporte.

La côte du Pacifique.

Savais-tu que le plus grand arbre du Canada est une épinette de Sitka? Elle pousse dans l'île de Vancouver et mesure 95 mètres de haut !

L'île de Vancouver abrite d'anciens thuyas vieux de 2000 ans, et son sous-sol contient du charbon.

La végétation de la côte est dominée par la forêt côtière, appelée aussi forêt pluviale, car elle reçoit beaucoup de **précipitations**. Elle regroupe des **conifères** comme le thuya géant, la pruche de l'Ouest, l'épinette de Sitka et le sapin de Douglas vert. Ce type de forêt se développe très bien sous le climat maritime de l'Ouest. Comme te l'indique le climatogramme de Vancouver, il s'agit d'un climat humide et tempéré : les étés y sont doux et les hivers frais.

Une épinette de Sitka.

précipitations

Chute d'eau provenant de l'atmosphère sous forme liquide (pluie, brouillard) ou solide (neige, grêle).

conifère

Arbre résineux aux feuilles en forme d'aiguilles ou d'écailles. La plupart des conifères gardent leurs feuilles toute l'année.

Climatogramme de Vancouver

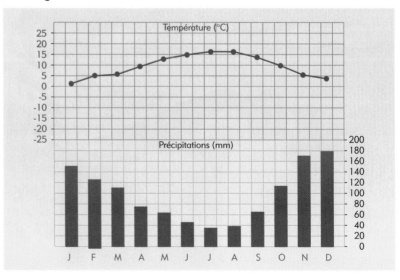

L'intérieur du territoire

L'intérieur de la Colombie-Britannique comprend plusieurs chaînes de montagnes, entrecoupées de plateaux et de vallées profondes, creusées par les cours d'eau. Ces montagnes ainsi que la chaîne Côtière forment la cordillère de l'Ouest. Le sous-sol est riche en minerais comme l'argent et le plomb. Les montagnes les plus importantes s'appellent les Rocheuses. Situées à l'est de la province, elles atteignent plus de 3000 mètres d'altitude et traversent tout le territoire du nord au sud. Elles forment une frontière naturelle avec l'Alberta. Les rares terres cultivables se trouvent dans les vallées du sud.

Les montagnes Rocheuses.

Le sol des montagnes et des plateaux est plutôt pauvre et convient surtout aux forêts de conifères comme le sapin de Douglas bleu, le pin tordu ou l'épinette d'Engelmann. En fait, la végétation et le climat de la cordillère de l'Ouest varient beaucoup selon l'**altitude** et les **vents dominants**. Le climat de montagne demeure plus sec que celui de la côte avec des étés chauds et parfois très chauds. Les hivers sont doux au sud et se refroidissent beaucoup en remontant vers le nord.

Une vallée fertile.

Le versant exposé aux vents reçoit plus de pluie que le versant abrité par les montagnes.

versant abrité

versant exposé

vent

plateau

altitude
Élévation d'un endroit par rapport au niveau de la mer.

vent dominant
Vent qui souffle le plus souvent dans une direction, sur une région en particulier.

La plaine du nord-est

Le nord-est de la Colombie-Britannique est le prolongement des grandes plaines du centre du Canada. Le relief y est assez plat, mais on y rencontre beaucoup de **collines**. La rivière de la Paix est le principal cours d'eau de la région. Elle prend sa source dans les montagnes Rocheuses et traverse de belles terres fertiles.

La plaine du nord-est est recouverte par la forêt boréale, une forêt mixte où l'on retrouve des conifères et des **feuillus** [← p. 26]. Elle jouit d'un climat subarctique. L'hiver y est long et très froid, alors que l'été est frais et court. Les précipitations y sont un peu plus abondantes que dans les montagnes.

colline

Petite élévation de terrain de forme arrondie.

feuillu

Arbre qui perd ses feuilles à l'automne. Celles-ci se renouvellent chaque printemps.

Au 19ᵉ siècle, c'est sur la Côte Ouest qu'habitaient le plus grand nombre d'Amérindiens en raison du climat assez doux et des ressources naturelles abondantes.

La plaine située au nord-est de la Colombie-Britannique.

D'Amérique, d'Europe et d'Asie

Peuplée par une quinzaine de nations amérindiennes, la Colombie-Britannique est longtemps coupée du reste du Canada par l'immense muraille des montagnes Rocheuses. Ce n'est qu'à la fin du 18ᵉ siècle que les explorateurs européens s'intéressent à la Côte Ouest pour faire le commerce de la fourrure. Cependant, les marchands de fourrures ne font qu'y passer et ne s'installent pas sur la côte.

Dans les années 1850, un événement inattendu amène près de 30 000 personnes en Colombie-Britannique : la découverte de **pépites** sur les rives du fleuve Fraser ! Les nouveaux arrivants viennent des États-Unis, d'Asie et d'Europe pour faire fortune. Ce sont principalement des hommes sans famille. Plusieurs d'entre eux décident de s'établir dans l'île de Vancouver et dans la plaine au sud de la côte, dans le delta du fleuve Fraser. Au début du 20ᵉ siècle, c'est encore la région la plus peuplée de la province.

pépite

Morceau d'or pur.

La fièvre de l'or

Tout commence en 1858, lorsqu'un marchand de fourrures découvre des pépites dans le **lit** du fleuve Fraser. La nouvelle se répand à la vitesse de l'éclair. Les **orpailleurs** accourent de tous les coins du monde. Chargés de provisions et d'outils, ces hommes s'enfoncent dans la forêt et remontent le fleuve Fraser. C'est la ruée vers l'or !

En quelques semaines, de nouvelles villes apparaissent au cœur de la cordillère de l'Ouest avec leurs hôtels, leurs magasins et leurs banques pour répondre aux besoins des chercheurs d'or. On s'empresse aussi de construire des routes pour faciliter le transport des marchandises. Cependant, à la fin des années 1860, l'or des rivières est épuisé.

lit

Creux du sol dans lequel coule un cours d'eau.

orpailleur

Personne qui recueille les pépites et les paillettes d'or en lavant le sable et le gravier des cours d'eau.

L'orpailleur utilise une batée pour laver l'or des cours d'eau.

Imagine, une seule batée de sable d'une rivière pouvait contenir jusqu'à 1000 dollars d'or ! Un ouvrier de l'époque ne gagnait que deux ou trois dollars par jour !

Un village amérindien dans les îles de la Reine-Charlotte, sur la côte de l'océan Pacifique.

Après la ruée vers l'or, plusieurs colons défrichent et construisent leur maison sans permission sur des terres appartenant aux Amérindiens. Peu à peu, les lois de la province obligent ceux-ci à vivre dans des réserves.

majorité

Le plus grand nombre.

Au tout début du 20ᵉ siècle, la Colombie-Britannique compte 180 000 habitants, dont 25 000 Amérindiens. La **majorité** de la population est d'origine britannique et de religion chrétienne. Elle impose à tous l'usage de la langue anglaise. Cependant, depuis les années 1890, le chemin de fer amène de nombreux immigrants d'autres provinces canadiennes et d'Europe. Les Asiatiques arrivent en Colombie-Britannique par bateau. Ils viennent surtout de Chine, du Japon et de l'Inde. Ces immigrants représentent alors un habitant sur dix.

> À cette époque, les francophones de la Colombie-Britannique ne sont que 4500.

Les Asiatiques : une population mal connue

Les dirigeants de la Colombie-Britannique préfèrent encourager l'immigration de gens qui leur ressemblent : blancs, anglophones et protestants. On se méfie beaucoup des Asiatiques. Leur apparence, leurs langues, leurs religions ainsi que leurs coutumes sont très différentes et mal connues.

Ce qui irrite le plus les Canadiens, c'est que les immigrants venus d'Asie acceptent de travailler très fort pour un salaire misérable. Ainsi, les employeurs préfèrent embaucher des Chinois, des Japonais ou des Indiens plutôt que des ouvriers canadiens. Petit à petit, le **racisme** envers les Asiatiques s'aggrave. En 1907, une manifestation est organisée dans le quartier chinois de Vancouver : des commerces sont endommagés et les résidants sont agressés.

Un commerce japonais endommagé.

racisme

Ensemble de comportements injustes et parfois violents, basé sur l'idée que certaines communautés sont supérieures à d'autres, par exemple en raison de leur couleur ou de leur langue.

> Que penses-tu de cette attitude envers les Asiatiques ? Selon toi, y a-t-il toujours du racisme aujourd'hui ?

Tous ces gens sont à la recherche de conditions de vie meilleures. Ils veulent une bonne terre à cultiver ou un salaire plus élevé. Certains fuient leur pays surpeuplé. D'autres cherchent une terre d'accueil où ils ne seront pas **opprimés** à cause de leur religion ou de la couleur de leur peau. Regarde le diagramme : entre 1901 et 1911, la population a plus que doublé !

opprimé

Tourmenté par des traitements injustes et cruels.

La population de la Colombie-Britannique de 1891 à 1921

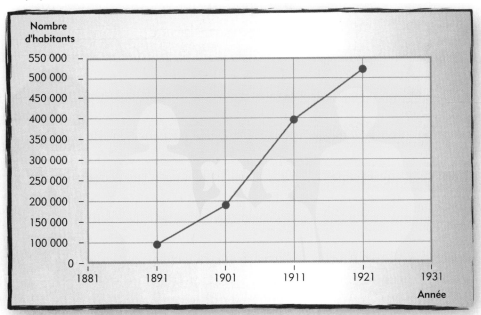

Activités économiques

Jadis, les Amérindiens de la côte dépendaient principalement de la pêche. Ceux de l'intérieur du territoire, eux, vivaient de la chasse. À la fin du 18e siècle, le commerce de la fourrure les amène à chasser la loutre de mer et le castor pour les Européens. Puis, au cours du 19e siècle, l'importante immigration et l'arrivée de la voie ferrée entraînent le développement de nouvelles activités économiques liées à d'autres richesses naturelles de la Colombie-Britannique.

Au début du 19e siècle, la fourrure de la loutre de mer est très recherchée par les Européens et les Chinois.

Les trésors du sous-sol

gisement

Couches de minerai dans le sous-sol.

syndicat

Association pour la défense des droits des travailleurs.

À la fin du 19e siècle, la fièvre de l'or est passée, mais déjà l'industrie minière de la Colombie-Britannique s'intéresse aux autres ressources du sous-sol. Des **gisements** de charbon ont été découverts depuis les années 1830 dans l'île de Vancouver. Le charbon sert de combustible pour chauffer les maisons, mais aussi de carburant pour les bateaux et les locomotives à vapeur. On l'exporte vers les autres provinces du pays et les États-Unis.

Plusieurs milliers de colons travaillent, plus de dix heures par jour, dans les mines de charbon. Le métier de mineur est difficile, dangereux et mal payé. Ce sont les propriétaires de mines qui deviennent riches. Trop souvent, pour s'enrichir, ils négligent la sécurité de leurs employés. À la fin du 19e siècle, des centaines de personnes meurent au fond des mines à la suite d'une explosion ou d'un incendie. Pour mieux défendre leurs droits, les mineurs se regroupent en **syndicats** et déclenchent de nombreuses grèves.

Travailleurs d'une mine de charbon.

En 1873, Levi Strauss, un commerçant de l'ouest des États-Unis, et Jacob Davis, un tailleur, créent un pantalon mieux adapté au travail dans les mines. Fait en denim bleu, il est très résistant avec ses poches renforcées de petites pièces de métal. Le jeans, si populaire aujourd'hui, vient de naître !

Les montagnes du sud-est de la province renferment de l'argent, du plomb et du zinc. Ces gisements sont difficiles à atteindre. Grâce au chemin de fer, on peut transporter de grandes quantités de minerai, une matière lourde à déplacer. Le minerai est d'abord fondu dans de hauts fourneaux pour être débarrassé de ses impuretés. Il est ensuite exporté ou envoyé vers d'autres usines pour être transformé en objets utiles, comme des tuyaux.

Un haut fourneau, une usine où l'on fait fondre les minerais.

haut fourneau

Exporter la forêt

La croissance rapide de la population des Prairies et de la Côte Ouest entraîne le développement de l'industrie de la coupe du bois en Colombie-Britannique. En effet, les arbres sont rares dans le sud des provinces de l'ouest du Canada. Mais les besoins en bois pour la construction des villages et des villes sont de plus en plus importants. Les chantiers et les scieries de la Colombie-Britannique fournissent du **bois d'œuvre** non seulement aux Prairies, mais aussi aux États-Unis, à l'Australie et à l'Europe. L'industrie forestière devient la plus importante activité économique de la province.

Les grands arbres sont coupés à la main à l'aide de haches et de scies. Les bûcherons doivent apporter leurs propres outils sur le chantier. On utilise des chevaux, des bœufs ou encore le train pour sortir les **billes** de la forêt. Près des rivières et de l'océan, on assemble les pièces de bois pour les faire flotter jusqu'à la scierie ou à l'usine de pâtes et papiers.

Les conifères de la Colombie-Britannique conviennent aussi à la production de pâte de bois pour la fabrication du papier. Les usines de pâtes et papiers sont toutes situées sur la côte du Pacifique, à proximité des cours d'eau et des forêts. Ainsi, cette industrie profite de la **force hydraulique** pour produire l'électricité dont elle a besoin pour ses activités. Et la production est aisément expédiée par bateau vers les villes de la province, mais également vers l'ouest des États-Unis et l'Europe.

bois d'œuvre
Bois de construction.

bille
Pièce de bois faite d'un tronc d'arbre débarrassé de ses branches.

À la fin du 19e siècle, le bois des forêts de la Colombie-Britannique sert à construire le palais de l'impératrice de Chine.

force hydraulique
Force que fournissent les chutes et les cours d'eau.

Des bûcherons occupés au transport des billes.

L'étiquette
d'une boîte de saumon.

Le saumon, roi de la Côte Ouest

Au milieu du 19e siècle, l'invention de la mise en conserve dans des boîtes en fer blanc bouleverse la pêche en Colombie-Britannique, surtout celle au saumon. Avant les années 1870, le poisson était séché et fumé pour être conservé ou exporté vers l'Asie. Or, le poisson en boîte se conserve beaucoup plus longtemps.

Rapidement, les conserveries se multiplient le long de la côte du Pacifique près de l'**embouchure** des cours d'eau tels que le Fraser ou la Skeena. C'est là où les saumons sont les plus nombreux avant de remonter les rivières, en été. Cette industrie emploie plusieurs milliers de travailleurs. Les conserveries possèdent leurs propres bateaux, à voiles, à rames ou encore à vapeur. Les pêcheurs utilisent de longues lignes garnies d'hameçons ou de grands filets qui peuvent capturer des poissons en abondance. Au début du 20e siècle, le saumon de la Colombie-Britannique se retrouve sur les tables du Canada, des États-Unis et d'Europe.

embouchure

Endroit où un cours d'eau se jette dans la mer.

Des bateaux de pêcheurs sur la rivière Fraser.

La conserverie, au féminin

Les conserveries engagent souvent des femmes amérindiennes ou japonaises. Elles passent toute la journée debout à laver et à découper le poisson dans une pièce chaude et sale. Elles placent les morceaux de poisson dans les boîtes de conserve. Les boîtes sont ensuite fermées, puis chauffées à la vapeur dans une chambre spéciale.

Ces femmes doivent également étiqueter les boîtes. Elles ne sont pas payées à l'heure, mais plutôt pour chaque caisse de boîtes emballée.

Certaines femmes travaillent à la conserverie avec leur bébé sur le dos!

Des femmes et leurs enfants au travail dans une conserverie.

Une agriculture spécialisée

La pratique de l'agriculture en Colombie-Britannique n'est pas très ancienne. Elle remonte au début du 19e siècle. De petites fermes se développent alors dans l'île de Vancouver et dans la plaine du sud de la côte pour nourrir les marchands qui séjournent dans les postes de commerce de la fourrure.

En fait, il n'y a pas beaucoup de terres **arables** sur le territoire. Celles du sud-ouest sont partagées entre les fermes et les grandes villes comme Victoria et Vancouver. De plus, les terres fertiles des vallées de l'intérieur sont difficiles à défricher. Les colons brûlent d'abord la portion de forêt à abattre afin de se débarrasser des broussailles et des branches. Puis ils coupent les troncs et **dynamitent** les souches souvent énormes.

arable
Qui peut être labouré; cultivable.

dynamiter
Faire sauter à la dynamite, une substance explosive.

La taille des arbres de la Côte Ouest rend le défrichement très pénible.

La culture des céréales dans la plaine du nord-est débute seulement dans les années 1920, avec l'arrivée d'une nouvelle voie ferrée dans la région.

Un ranch.

culture maraîchère

Culture de légumes destinés à la vente.

En raison du manque d'espace, les agriculteurs se spécialisent pour mieux répondre aux besoins des habitants des villes. Dans le sud-ouest, les cultivateurs pratiquent la **culture maraîchère** ou font l'élevage de vaches laitières. Dans les vallées de l'intérieur, on entretient des vergers qui donnent des pommes, des poires et du raisin. On s'adonne aussi à l'élevage de bétail pour la boucherie. Malgré tous ces efforts, l'agriculture ne suffit pas à nourrir la population de la province. Les épiciers vendent beaucoup de produits importés d'autres régions du Canada ou d'autres pays comme les États-Unis et la Chine.

Au service des touristes

Une fois de plus, le chemin de fer aide au développement d'une activité économique en Colombie-Britannique : le tourisme. À la fin des années 1880, les dirigeants du Canadien Pacifique, la grande compagnie **ferroviaire** de l'époque, sont éblouis par les paysages spectaculaires des montagnes Rocheuses. Afin d'encourager l'usage du train jusqu'à la côte du Pacifique, ils font de la publicité en Europe et dans l'est des États-Unis pour attirer des voyageurs aisés.

Une publicité du Canadien Pacifique autour de 1880.

Pour accommoder les visiteurs, la compagnie fait construire des hôtels luxueux et des **gîtes** en montagne, près des lignes de chemins de fer. En plus d'offrir une cuisine raffinée, ces endroits proposent des randonnées, des excursions de chasse et de pêche ainsi que différents divertissements comme le jeu de quilles ou de **croquet**. Les services aux touristes sont aussi présents dans les villes de la côte. En effet, de nombreux **paquebots** partent à destination de l'Asie et leurs passagers logent à Vancouver ou à Victoria.

Un joueur de croquet.

ferroviaire
Qui se rapporte aux chemins de fer.

gîte
Lieu aménagé où l'on peut se loger lors d'une randonnée.

croquet
Jeu qui consiste à faire passer des boules de bois sous des arceaux de métal à l'aide d'un maillet.

paquebot
Grand navire qui transporte principalement des passagers.

> La présence de certains touristes se fait sentir dès le début du 20ᵉ siècle. Ceux-ci provoquent des incendies de forêt et abîment l'écorce des arbres en y gravant leurs noms. De plus, ils jettent des boîtes de conserve et des bouteilles de verre dans la nature.

Des guides de montagne d'origine suisse.

L'industrie touristique offre aux Britanno-Colombiens, hommes et femmes, la possibilité d'exercer une foule de métiers : cuisinier, serveur, femme de chambre, guide en montagne, **garde-chasse**, **maître-nageur**, etc.

garde-chasse
Personne chargée de surveiller la chasse.

maître-nageur
Personne qui enseigne la natation, qui surveille une piscine.

ravin
Vallée étroite et profonde.

cheminot
Employé des chemins de fer.

Au bout du chemin de fer

Autrefois, pour atteindre la Colombie-Britannique, les voyageurs de l'est du Canada ou d'Europe devaient entreprendre un très long voyage. Par voilier, il fallait faire le tour de l'Amérique du Sud. Sinon, on devait traverser le pays à pied, à cheval ou en canot d'écorce. En 1885, l'achèvement du chemin de fer relie enfin la Côte Ouest au reste du Canada. Le commerce et les communications sont alors grandement facilités.

La construction d'une voie ferrée dans la cordillère de l'Ouest représentait tout un défi. Il a fallu construire à la main des ponts de bois au-dessus de **ravins** et creuser des tunnels dans la roche dure des montagnes. La tâche a souvent été dangereuse et a coûté très cher. Mais la construction ne s'arrête pas en 1885. Dans les années 1910, d'autres compagnies construisent de nouvelles lignes. Les **cheminots** travaillent alors avec des machines modernes comme des pelles mécaniques.

Un pont de bois.

Vancouver devient le terminus ouest du chemin de fer. Le train y amène des milliers de nouveaux immigrants ainsi que le blé des Prairies. Sa population passe de 30 000 habitants, en 1901, à 120 000, en 1911. Vancouver est maintenant une des plus grandes villes industrielles et commerciales du Canada. Son port grouille de bateaux de pêche et de navires à vapeur. Les tramways électriques, les voitures à cheval et les premières automobiles circulent dans ses rues animées.

> En Colombie-Britannique, au début du 20ᵉ siècle, une personne sur deux habite en ville.

Le port de Vancouver.

Les cheminots chinois

Dans les années 1880, la main-d'œuvre n'est pas suffisante en Colombie-Britannique pour terminer le chemin de fer. Les constructeurs font donc venir plus de 15 000 travailleurs chinois.

Pendant près de cinq ans, ces hommes, séparés de leur famille, acceptent des conditions de travail lamentables. Beaucoup de cheminots meurent à la suite d'une avalanche, d'un éboulement de roches ou d'un dynamitage. Ils souffrent du froid et de maladies causées par une mauvaise alimentation à base de riz blanc et de miettes de saumon séché.

Les ouvriers vivent dans des tentes ou de petites baraques de bois installées le long du chantier de construction.

Même s'ils ne reçoivent que la moitié du salaire d'autres ouvriers, les Chinois sont encore mieux payés qu'en Chine.

Toutes les villes et les fermes de l'intérieur de la province n'ont pas la chance d'être situées près des voies ferrées. Aussi utilise-t-on tout un réseau de routes, de lacs et de rivières où circulent des chariots tirés par des chevaux et des traversiers à vapeur. Cependant, à partir des années 1910, le camion et le train assureront de plus en plus le transport des personnes et des marchandises.

Tu as vu combien le paysage de la Côte Ouest est magnifique ! Tu as été témoin de l'arrivée d'un nombre important d'immigrants, issus de trois continents, venus bâtir une province aux multiples ressources. Tu peux même dire que l'or a brillé dans les yeux des orpailleurs en quête de richesses. Tu as pu voir enfin le rêve des « pères de la Confédération » se réaliser « D'un océan à l'autre ».

La société québécoise vers 1980

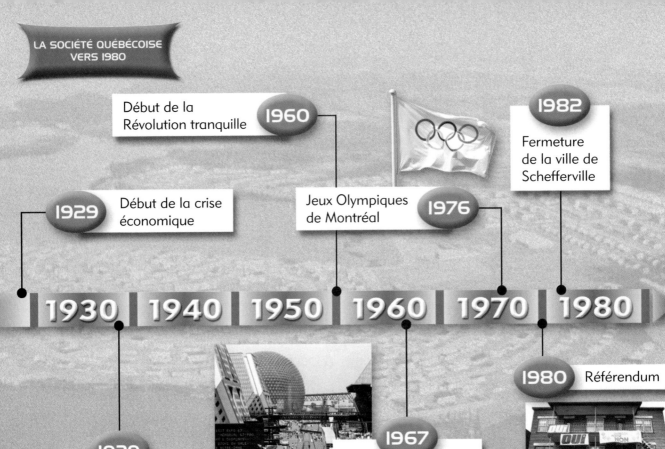

Début de la
Révolution tranquille **1960**

1982
Fermeture
de la ville de
Schefferville

1929 Début de la crise
économique

Jeux Olympiques
de Montréal **1976**

| **1930** | **1940** | **1950** | **1960** | **1970** | **1980** |

1980 Référendum

1939

Début de la
Seconde Guerre
mondiale

1967

Exposition universelle
de Montréal

*Contrairement
aux époques
précédentes,
étudiées dans ce
manuel, celle-ci
n'est pas si
éloignée de toi,
puisque tes
grands-parents
et tes parents
l'ont vécue.
N'hésite pas à
les interroger !*

D ès le milieu du 20ᵉ siècle, le Québec connaît de grands
bouleversements. La société québécoise se construit une
nouvelle identité. La vie politique se transforme. Le gouvernement joue un rôle de plus en plus important dans différents
secteurs comme l'économie, la santé et l'éducation. La vie sociale
change aussi. Les femmes sont plus nombreuses à entrer dans
le milieu du travail et réclament les mêmes avantages que les
hommes. La vie culturelle s'épanouit pour le plaisir de tous les
citoyens et citoyennes de la province.

Tu découvriras, dans les pages suivantes, un chapitre passionnant
de l'histoire du Québec qui se déroule autour de 1980.

Territoire et population

Découvre maintenant quelles sont les frontières et les
richesses de ce vaste territoire ainsi que les Québécoises et
les Québécois qui l'habitent.

Le Québec, la plus grande province du Canada

Observe attentivement la carte ci-dessous. Elle représente l'immense territoire québécois autour de 1980. Que remarques-tu ? Le Québec partage ses frontières avec d'autres provinces canadiennes et avec les États-Unis.

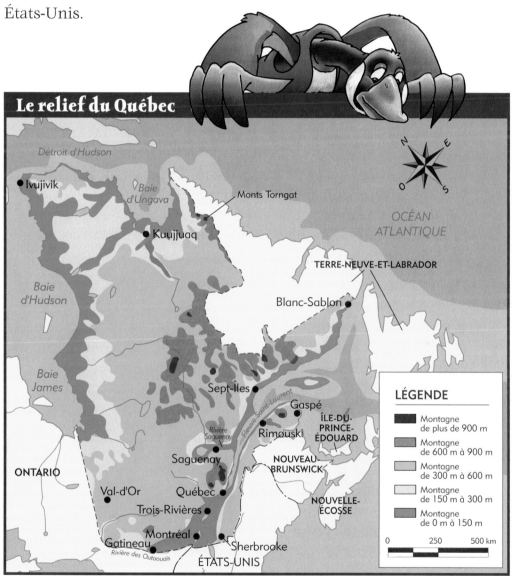

Le relief du Québec

Détroit d'Hudson

Ivujivik

Baie d'Ungava

Monts Torngat

OCÉAN ATLANTIQUE

Kuujjuaq

TERRE-NEUVE-ET-LABRADOR

Baie d'Hudson

Blanc-Sablon

Baie James

Sept-Îles

Fleuve Saint-Laurent

Gaspé

ÎLE-DU-PRINCE-ÉDOUARD

Rivière Saguenay

Rimouski

Saguenay

NOUVEAU-BRUNSWICK

ONTARIO

Val-d'Or

Québec

NOUVELLE-ÉCOSSE

Trois-Rivières

Montréal

Gatineau

Rivière des Outaouais

Sherbrooke

ÉTATS-UNIS

LÉGENDE

- Montagne de plus de 900 m
- Montagne de 600 m à 900 m
- Montagne de 300 m à 600 m
- Montagne de 150 m à 300 m
- Montagne de 0 m à 150 m

0   250   500 km

Au nord, le Québec est limité par le détroit d'Hudson et la baie d'Ungava ; à l'ouest, par la province de l'Ontario et la baie d'Hudson ; à l'est, les provinces de Terre-Neuve-et-Labrador, du Nouveau-Brunswick, de l'Île-du-Prince-Édouard et de la Nouvelle-Écosse. La partie sud du Québec est, quant à elle, limitée par les États-Unis.

Terre-Neuve devient une province du Canada en 1949. C'est la dernière colonie britannique à se joindre à la fédération canadienne.

Comme tu as pu le voir dans les chapitres précédents, le territoire du Québec a subi plusieurs changements au cours des deux derniers siècles. Les toutes dernières modifications aux frontières du Québec remontent à 1927. Cette année-là, l'immense territoire du Labrador est cédé à Terre-Neuve au détriment de la province de Québec. Cependant, même privé d'une partie de son territoire, le Québec demeure la plus grande province du Canada.

Des paysages d'un autre âge

plateau

Étendue de terrain assez plate et surélevée.

conifère

Arbre résineux aux feuilles en forme d'aiguille ou d'écaille. La plupart des conifères comme le pin ou le cèdre gardent leurs feuilles toute l'année.

fertile

Qui donne de bonnes récoltes.

vallée

Espace allongé creusé par un cours d'eau et situé entre deux zones de terrain plus élevées.

Tu connais déjà bien le relief du Québec. L'immense **plateau** du Bouclier canadien couvre à lui seul 90 % du territoire. Il s'agit d'un paysage au sol rocailleux où poussent surtout des **conifères** [← p. IV]. On y trouve un nombre considérable de collines, de lacs et de cours d'eau. Cependant, les sols **fertiles** se concentrent principalement dans les **vallées** du fleuve Saint-Laurent et de certaines grandes rivières comme la Chaudière et le Richelieu ainsi que dans les plaines du lac Saint-Jean et du Témiscamingue.

Or, le Bouclier canadien, au nord, et les Appalaches, situées au sud du fleuve Saint-Laurent, sont des reliefs très anciens. Imagine, pendant des milliards d'années, le vent, l'eau, le gel et la glace ont usé leur relief de telle sorte qu'aujourd'hui, on y trouve des collines et des montagnes bien arrondies. Ce phénomène naturel, que tu peux observer grâce au shéma suivant, s'appelle l'érosion.

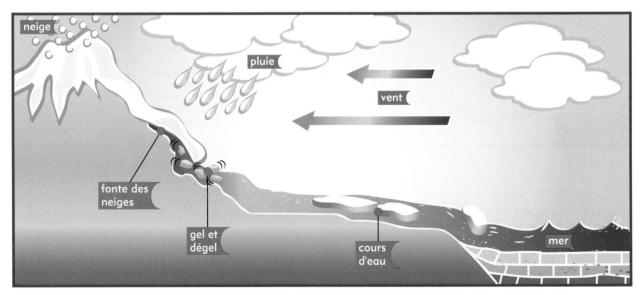

Les étapes liées à l'érosion.

Les petites montagnes du Québec

Le mont D'Iberville, avec ses 1652 mètres d'altitude, constitue le plus haut sommet des monts Torngat, une importante chaîne de montagnes située au nord-est de la province près de la baie d'Ungava.

Le mont D'Iberville.

> Au Québec, seulement une dizaine de montagnes dépassent les 1000 mètres d'altitude. C'est bien peu en comparaison aux 4000 mètres que peuvent atteindre certaines montagnes de la cordillère de l'Ouest, en Colombie-Britannique.

> Pas étonnant que les Québécoises et les Québécois parlent souvent du temps qu'il fait. Et toi, l'avais-tu remarqué?

Quel temps fait-il ?

Au Québec, certaines moyennes de température pour les mois d'hiver comptent parmi les plus basses du monde. On y enregistre aussi d'importantes chutes de neige. Par exemple, en hiver, on surnomme la ville de Québec la «capitale de la neige». Comme le territoire québécois jouit d'un climat continental, les écarts de température demeurent considérables entre les mois les plus chauds et les mois les plus froids. Si bien que certains disent, à la blague, que le Québec possède deux saisons : l'hiver et l'été.

Cependant, plus on se déplace vers le nord de la province, plus l'hiver se prolonge et l'été raccourcit. En revanche, les **précipitations** diminuent. C'est le climat arctique. Par exemple, à l'extrémité nord du Québec, le gel dure plus de 45 semaines par année.

précipitations

Chute d'eau provenant de l'atmosphère sous forme liquide (pluie, brouillard) ou solide (neige, grêle).

Le minerai de titane est utilisé dans la fabrication des peintures et des vernis.

force hydraulique

Force fournie grâce aux chutes et aux cours d'eau.

Le pays de l'eau

Au 20ᵉ siècle, les sols fertiles et les forêts demeurent des ressources naturelles essentielles à l'économie et au commerce en plus de servir à l'alimentation et à la construction. De nombreuses explorations, dans les régions du nord du Québec, permettent aussi de mieux situer l'emplacement des richesses du sous-sol comme le fer, le cuivre et le titane.

Minerai de titane.

Cependant, parmi toutes les ressources naturelles du Québec, l'eau demeure la plus importante. Celle-ci recouvre près du quart de la superficie du territoire québécois. Autrefois, tu te souviens, les cours d'eau formaient des voies indispensables pour le transport des gens et des marchandises. De plus, ils fournissaient l'eau dont les gens avaient besoin chaque jour ainsi que la **force hydraulique** pour actionner les moulins. Au 20ᵉ siècle, cette même force contribue à produire une source d'énergie dont tu te sers tous les jours : l'électricité.

Le cycle de l'eau n'a plus de mystère pour toi. L'eau de la mer, des lacs et des rivières s'évapore grâce à la chaleur des rayons du soleil. Ainsi, de fines gouttelettes d'eau s'élèvent et sont maintenues dans l'atmosphère pour former des nuages. Puis l'eau des nuages retombe sur la terre sous forme de précipitations. Une fois au sol, l'eau reprend sa course vers la mer en passant par les ruisseaux, les rivières et les fleuves. Cependant, chaque goutte ne s'écoule pas dans la même direction. Les lignes de partage des eaux divisent le territoire et déterminent, d'une certaine façon, vers quelle mer l'eau se dirigera.

Le Québec est donc divisé en trois grandes régions que l'on appelle des bassins hydrographiques. Pour mieux comprendre leur utilité dans le cycle de l'eau, regarde bien la carte et l'illustration de la page suivante.

Les bassins hydrographiques

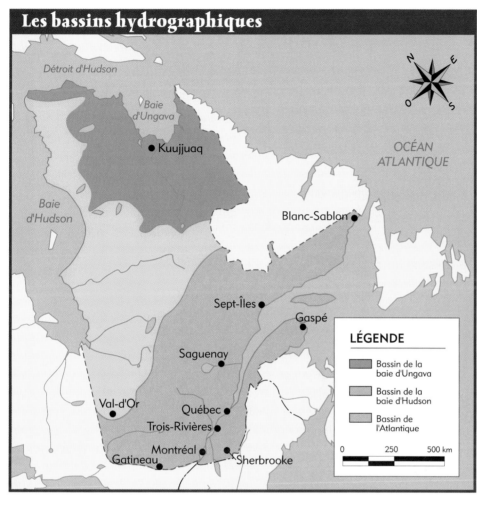

Détroit d'Hudson

Baie d'Ungava

● Kuujjuaq

OCÉAN ATLANTIQUE

Baie d'Hudson

Blanc-Sablon ●

Sept-Îles ●

Gaspé ●

Saguenay ●

Val-d'Or ●

Québec ●

Trois-Rivières ●

Montréal ●

Gatineau ●

Sherbrooke ●

LÉGENDE

Bassin de la baie d'Ungava

Bassin de la baie d'Hudson

Bassin de l'Atlantique

0   250   500 km

Une goutte de pluie qui tombe à Val-d'Or s'écoule vers la baie d'Hudson alors qu'une goutte tombée à Kuujjuaq file vers la baie d'Ungava. Selon toi, où s'en ira une goutte tombée à Trois-Rivières ?

Deux bassins hydrographiques.

ligne de partage des eaux

amont

affluent

Sens de l'écoulement de l'eau

aval

océan

fleuve

océan

affluent
Cours d'eau qui se jette dans un autre.

amont
Partie supérieure d'un cours d'eau, plus près de sa source.

aval
Partie inférieure d'un cours d'eau, plus près de la mer.

L'eau, une richesse précieuse et fragile

Pour beaucoup d'individus, les réserves d'eau **potable** du Québec semblent inépuisables. Or, il ne faut pas oublier qu'au fil des siècles les nombreuses activités humaines, comme celles liées aux industries et à l'agriculture, ont contribué à **détériorer** la qualité de cette précieuse ressource naturelle.

À partir des années 1970, des efforts sont faits afin de réduire la pollution et d'**épurer** les eaux **usées** des villes et des industries. Mais ce n'est pas une tâche facile! Car les cours d'eau et les eaux souterraines du Québec demeurent menacés par l'utilisation **excessive** de produits chimiques, de **pesticides** et par les excréments des animaux de la ferme.

potable
Qui peut être bu sans danger pour la santé.

détériorer
Mettre une chose en mauvais état, de sorte qu'elle ne puisse plus servir.

épurer
Rendre pur ou plus pur.

usé
Sali par l'usage.

excessif
Qui va au-delà de la mesure permise.

pesticide
Produit chimique qui détruit les mauvaises herbes et les insectes nuisibles aux cultures.

La pollution menace les cours d'eau.

Depuis le début du 20ᵉ siècle, les populations amérindienne et inuite ont augmenté. Elles comptent maintenant 45 000 individus.

Les visages du Québec

Autour de 1980, une grande partie de la population vit au sud du Québec, c'est-à-dire dans la vallée du Saint-Laurent. À elle seule, la région de Montréal réunit plus de la moitié de la population québécoise. Au fil des décennies, des régions plus éloignées comme l'Abitibi et la Côte-Nord se sont développées et ont contribué à l'essor du Québec.

Observe le diagramme de la page suivante. Tu peux constater qu'entre 1941 et 1981 la population du Québec a doublé. Elle compte désormais 6,5 millions d'habitants.

Durant les années 1930, alors que de graves problèmes économiques frappent les pays industrialisés comme le Canada et les États-Unis, plusieurs personnes se retrouvent sans emploi. Les couples qui éprouvent des problèmes de **subsistance** retardent alors le moment d'avoir des enfants.

Le vent tourne dans les années 1940, car la **prospérité** revient au Québec. La province connaît alors une période où il y a une forte augmentation des naissances. On appelle ce phénomène le «baby-boom». Un baby-boom survient généralement en période de grande prospérité.

Pendant une quinzaine d'années, le nombre des naissances augmente de façon spectaculaire. L'espérance de vie des jeunes enfants est plus grande grâce à la meilleure qualité des soins de santé, par exemple. Ainsi, en 1951, une personne sur quatre est âgée de moins de dix ans. Le baby-boom tire à sa fin au tout début des années 1960. À partir de cette décennie, les couples québécois ont moins d'enfants. Par contre, l'immigration augmente.

subsistance
Qui permet de maintenir la vie matérielle.

prospérité
Augmentation des richesses d'une société.

La population du Québec de 1921 à 1981

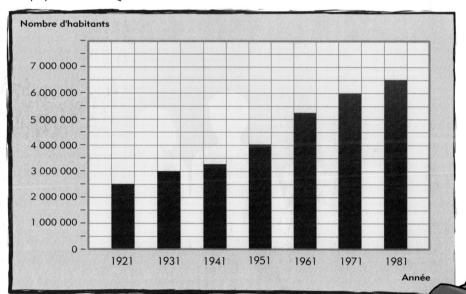

Les cinq enfants d'une famille québécoise dans les années 1950.

Aujourd'hui, les choses ont bien changé. Au Québec, à peine une personne sur dix a moins de dix ans.

majorité

Le plus grand nombre.

minorité

Le plus petit nombre.

allophone

Personne dont la langue maternelle n'est ni le français ni l'anglais.

À la fin du 20e siècle, la **majorité** des Québécois sont d'origine canadienne-française. Ceux-ci représentent huit personnes sur dix. Le reste de la population comprend des groupes d'origines diverses. Les Québécois d'origine britannique forment la **minorité** la plus nombreuse. Comme tu le sais déjà, à partir du 18e siècle, leurs ancêtres sont venus d'Irlande, d'Angleterre et d'Écosse. Cependant, depuis les années 1950, les communautés **allophones** prennent de plus en plus d'importance. Des Italiens, des Grecs, des Allemands, des Portugais et des Polonais quittent l'Europe pour venir s'installer au Québec afin d'améliorer leurs conditions de vie.

Depuis les années 1970, le Québec accueille aussi des immigrants venant d'Asie, d'Amérique centrale, d'Amérique du Sud, des Antilles et d'Afrique. Plusieurs d'entre eux fuient les guerres qui se déroulent dans leur pays. D'autres échappent à un gouvernement qui ne respecte pas leurs droits et leurs libertés. Ces nouveaux arrivants s'installent principalement dans la ville de Montréal et ses banlieues.

Des immigrants vietnamiens.

Beaucoup d'immigrants viennent aussi de la France et des États-Unis.

Vie politique

À partir des années 1950, un vent de changement commence à souffler au sein de la population québécoise. Après la Seconde Guerre mondiale, les Québécois et les Québécoises rêvent d'une société plus juste et plus moderne. Plusieurs d'entre eux souhaitent également que les Canadiens français s'affirment davantage et jouent un plus grand rôle dans la vie économique de la province. Tu verras que, pour répondre aux nombreuses attentes de sa population, le gouvernement devra changer sa façon de faire.

Dans cette partie, tu découvriras les changements importants qui marquent la vie politique du Québec après la Seconde Guerre mondiale.

La Seconde Guerre mondiale de 1939 à 1945

Le 3 septembre 1939, en Europe, l'Angleterre et la France déclarent la guerre à l'Allemagne qui vient d'envahir la Pologne. Quelques jours plus tard, le Canada déclare à son tour la guerre à l'Allemagne.

Toutes les industries du pays sont mises au service de l'effort de guerre. Et le Québec n'y échappe pas. Les manufactures de vêtements, par exemple, confectionnent des uniformes militaires. Les chantiers navals construisent des navires de guerre. De plus, les gouvernements provinciaux et fédéral demandent à la population de contribuer à cet effort en changeant ses habitudes de consommation. Les biens en tout genre, l'essence et la nourriture sont rationnés. On demande à tous, et même aux enfants, de récupérer les déchets de la maison comme les graisses animales et les os, le fer blanc des boîtes de conserve et le caoutchouc.

Le Canada envoie plus de 700 000 soldats se battre en Europe. Près de 90 000 d'entre eux sont canadiens-français. Le Canada y expédie aussi des vivres et du matériel de guerre pour aider les pays alliés.

rationner
Distribuer des quantités limitées d'un produit.

vivres
Tout ce qui sert à l'alimentation des êtres humains.

allié
Groupe ou individu uni par une entente, un accord.

> Plus de 40 000 soldats canadiens sont morts aux champs de bataille lors de la Seconde Guerre mondiale.

Débarquement des troupes canadiennes en Normandie (France).

Le Québec de l'après-guerre

À la fin de la guerre, en 1945, Maurice Duplessis est premier ministre du Québec. Il le sera jusqu'en 1959, l'année de son décès. Le **parti** politique qu'il dirige s'appelle l'Union nationale. Ce parti va disparaître dans les années 1980.

En 1948, le gouvernement du Québec, adopte le fleurdelisé comme drapeau officiel de la province. C'est le drapeau bleu et blanc que tu connais bien.

Pendant la guerre, le gouvernement fédéral s'est donné beaucoup de pouvoirs afin d'assurer la sécurité et le bien-être de tous les Canadiens. Une fois la paix revenue, le gouvernement de Maurice Duplessis conteste la politique **centralisatrice** du fédéral. Il veut à tout prix préserver les pouvoirs de la province.

Le gouvernement Duplessis n'intervient pas dans l'**économie** et les services aux **citoyens**. Il confie à l'Église catholique le soin de s'occuper de l'instruction et de la santé de la population. Il abandonne à des compagnies privées, souvent américaines, le développement des ressources naturelles du Québec.

La Révolution tranquille

Grâce à leur slogan « C'est le temps que ça change », le Parti libéral du Québec, dirigé par Jean Lesage et son équipe, remporte les élections de 1960. Le nouveau gouvernement libéral entreprend de moderniser le Québec. Dans les années 1960 et 1970, il lance d'importantes **réformes** qui touchent tous les aspects de la vie québécoise. On appelle cette période de l'histoire du Québec, la Révolution tranquille. Cette expression, utilisée depuis 1962, désigne les changements survenus durant cette période, au Québec.

parti

En politique, groupe de personnes qui partagent des opinions semblables et qui se réunissent pour se faire élire et former le gouvernement d'une province ou d'un pays.

centralisateur

Qui veut réunir les pouvoirs en un seul endroit, dans ce cas-ci, au Parlement fédéral, à Ottawa.

économie

Ensemble des activités relatives à la production de biens, à leur distribution et à leur consommation dans une société.

citoyen

Personne ayant la nationalité d'un pays; résidant d'un pays, d'une province ou d'une ville.

réforme

Changement profond dans le but d'améliorer.

Jean Lesage.

Les réformes proposées par le gouvernement libéral concernent la santé et l'éducation. Le Québec a un retard important à combler dans ces domaines. L'école obligatoire jusqu'à l'âge de 15 ans, la création d'écoles publiques gratuites et l'accès gratuit à des soins de santé ne sont que quelques-unes des mesures prises par le gouvernement québécois. Peu à peu, un personnel **laïc** remplace les religieux et les religieuses dans les écoles et les hôpitaux.

Le gouvernement veut maintenant intervenir dans tous les secteurs. Il joue un rôle important dans l'économie et la culture. Pour répondre aux besoins des citoyens, il crée de nouveaux ministères comme les ministères des Affaires culturelles et de l'Éducation. Des organismes sont créés comme l'Office de la langue française qui veille au respect du français.

Afin de mieux servir la population des différentes régions de la province, le gouvernement divise cette dernière en plus petits territoires appelés des régions administratives. Depuis 1997, on compte 17 régions administratives au Québec.

laïc

Qui n'est pas religieux.

> Toutes les actions dans ces secteurs d'activité coûtent très cher! Les dépenses du gouvernement de Jean Lesage doublent de 1960 à 1965.

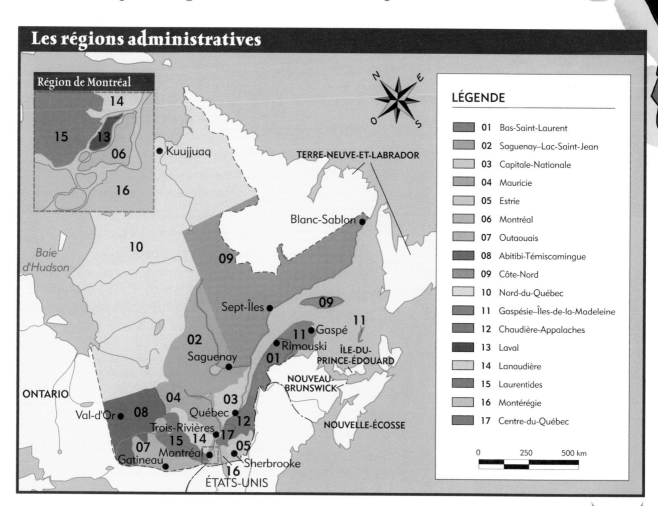

Les régions administratives

Région de Montréal

14
15 13
06
16

Kuujjuaq

TERRE-NEUVE-ET-LABRADOR

Blanc-Sablon

Baie d'Hudson

10

09

Sept-Îles
09
11
Gaspé
11
02
Rimouski
Saguenay
01
ÎLE-DU-PRINCE-ÉDOUARD

NOUVEAU-BRUNSWICK

ONTARIO
Val-d'Or
08
04
03
12
Québec
Trois-Rivières
17
15 14
07
05
Gatineau
Montréal
16
Sherbrooke

NOUVELLE-ÉCOSSE

ÉTATS-UNIS

LÉGENDE

- 01 Bas-Saint-Laurent
- 02 Saguenay–Lac-Saint-Jean
- 03 Capitale-Nationale
- 04 Mauricie
- 05 Estrie
- 06 Montréal
- 07 Outaouais
- 08 Abitibi-Témiscamingue
- 09 Côte-Nord
- 10 Nord-du-Québec
- 11 Gaspésie–Îles-de-la-Madeleine
- 12 Chaudière-Appalaches
- 13 Laval
- 14 Lanaudière
- 15 Laurentides
- 16 Montérégie
- 17 Centre-du-Québec

0   250   500 km

En 1970, Robert Bourassa, chef du Parti libéral, devient le plus jeune premier ministre de la province. Il a 36 ans. Il s'oppose à l'indépendance du Québec. Il veut plutôt un Québec fort dans un Canada uni.

Le Québec aux Québécois et aux Québécoises

Les réformes du gouvernement libéral de Jean Lesage entraînent un important mouvement nationaliste dans la population. Certains souhaitent que la province de Québec devienne une nation indépendante et qu'elle quitte la fédération canadienne. D'autres désirent plutôt que le Québec affirme ses différences liées à la langue et à la culture, tout en demeurant une province canadienne.

Robert Bourassa aux élections de 1970.

En 1970, René Lévesque fonde un nouveau parti politique : le Parti québécois. L'objectif de ce parti est de faire de la province une nation **souveraine** tout en proposant une association avec le Canada à propos de politiques communes, par exemple la monnaie.

souverain

Indépendant, autonome.

La crise d'octobre 1970

Le Front de Libération du Québec (FLQ) forme un groupe **clandestin** d'individus qui **milite** pour l'indépendance du peuple québécois. Depuis 1963, ils réclament l'indépendance du Québec et font des gestes violents. Ils sont aussi responsables de l'enlèvement de deux hommes politiques, au début du mois d'octobre 1970. Le gouvernement fédéral réagit à cette crise en adoptant la *Loi des mesures de guerre*. Cette loi a pour effet de supprimer, pour un temps, certaines libertés de la population. Dès lors, l'armée canadienne se positionne en territoire québécois, et près de 500 personnes, soupçonnées d'être sympathiques aux idées du FLQ, sont arrêtées sans explication.

L'armée canadienne en territoire québécois.

clandestin

Qui reste secret, caché.

militer

Lutter activement pour défendre une cause, des idées.

En novembre 1976, le Parti québécois remporte ses premières élections après avoir promis de tenir un **référendum** sur l'avenir constitutionnel de la province. René Lévesque devient alors premier ministre du Québec. De son côté, le premier ministre du Canada, Pierre Elliott Trudeau, s'oppose au projet de **souveraineté** du Parti québécois. Il propose de rendre le Canada bilingue. Il fait adopter la *Loi sur les langues officielles* qui garantit des services gouvernementaux en français et en anglais d'un océan à l'autre. Il nomme également un grand nombre de députés québécois à des postes de ministres. Il veut ainsi démontrer que les Québécois peuvent aussi changer le Canada. Ils ont donc intérêt à rester dans la fédération canadienne.

référendum

Consultation publique qui permet aux citoyens, par le vote, d'approuver ou de rejeter un projet.

souveraineté

Indépendance.

négocier

Conclure un accord, une entente entre deux parties.

Le 20 mai 1980 le gouvernement du Québec organise un référendum sur l'avenir du Québec. La population est invitée à décider si elle va permettre au gouvernement de **négocier** la souveraineté du Québec avec le reste du Canada. La province est partagée entre le camp du « oui » et le camp du « non ». C'est celui du « non » qui l'emporte avec 60 % des votes.

René Lévesque, le soir de son élection en 1976.

Une démocratie parlementaire

Au Québec, comme au Canada, le système politique est celui d'une démocratie parlementaire. Ce qui veut dire que ce sont les députés élus par le peuple qui gouvernent. Des élections ont lieu généralement tous les cinq ans. Tous les citoyens canadiens âgés de 18 ans et plus, qui habitent au Québec depuis au moins 6 mois, ont le droit de voter.

Cet immeuble est partagé entre le « oui » et le « non ».

circonscription

Division du territoire.

Il y a présentement 125 **circonscriptions** électorales au Québec. Dans chaque circonscription, les électeurs votent pour le candidat de leur choix. Celui qui obtient le plus grand nombre de votes est élu député. Le chef du parti politique qui fait élire une majorité de ses députés devient le premier ministre du Québec et dirige le gouvernement. Le parti obtenant la seconde place lors des élections forme l'opposition officielle.

Le premier ministre choisit, parmi les députés de son parti, les ministres qui formeront, avec lui, le Conseil exécutif. Le gouvernement, ainsi formé, prépare les projets de loi. Ceux-ci seront étudiés, puis adoptés ou rejetés par les membres élus de l'Assemblée nationale.

Le Salon bleu de l'Assemblée nationale.

C'est en 1968 que l'assemblée législative prend le nom d'Assemblée nationale. Les députés élus se réunissent au Salon bleu de l'Assemblée nationale. Le premier ministre et le chef de l'opposition sont assis l'un en face de l'autre. À l'avant de la salle, le président de l'Assemblée, qui dirige les discussions, occupe un fauteuil surélevé.

Les femmes et la politique

Le 25 avril 1940, les femmes obtiennent enfin le droit de vote au Québec. Cependant, il faut attendre plus de 20 ans avant qu'une femme soit élue au Parlement. En 1961, Marie-Claire Kirkland-Casgrain devient la première députée québécoise. Par la suite, elle est nommée ministre et fait adopter une loi qui reconnaît des droits à la femme mariée. Celle-ci est alors reconnue comme étant l'égale de son mari.

Marie-Claire Kirkland-Casgrain.

Aux élections de novembre 1976, seulement cinq femmes sont élues par la population. En 1981, elles ne sont encore que huit. Aux élections provinciales, tenues en 2002, 38 femmes sont élues députées, mais ce nombre représente à peine le tiers de l'ensemble des députés. Certaines femmes parviennent à occuper des postes importants en politique. Jeanne Sauvé, par exemple, est la première Québécoise élue au Parlement canadien. Elle devient ensuite la première femme à occuper le poste de gouverneure générale du Canada.

Une Charte des droits à notre image

La démocratie, ce n'est pas seulement avoir le droit de voter. C'est aussi une foule d'autres droits. Au Québec, que tu sois un garçon ou une fille, tu as le droit d'exprimer librement tes idées, de pratiquer la religion de ton choix, en plus d'avoir accès à l'éducation. Ces droits sont protégés par la Charte des droits et libertés de la personne qui existe depuis 1975. Elle proclame que tous les citoyens et citoyennes du Québec sont égaux. Au Canada, il existe également une charte des droits et libertés, qui oblige les gouvernements à respecter tes droits.

Voici un passage de la Charte québécoise des droits et libertés de la personne qui affirme l'égalité de tous et de toutes.

Article 10

« Toute personne a droit à la reconnaissance et à l'exercice, en pleine égalité, des droits et libertés de la personne, sans distinction, exclusion ou préférence fondée sur la race, la couleur, le sexe, la grossesse, l'**orientation sexuelle**, l'**état civil**, l'âge sauf dans la mesure prévue par la loi, la religion, les **convictions** politiques, la langue, l'origine ethnique ou nationale, la condition sociale, le handicap ou l'utilisation d'un moyen pour **pallier** ce handicap. »

orientation sexuelle

Le fait de ressentir de l'attirance et de l'amour pour une personne de sexe opposé ou de même sexe.

état civil

État d'une personne dans la société, par exemple être célibataire, marié ou veuf.

conviction

Opinion, idée.

pallier

Réduire.

Activités économiques

Au cours du 20ᵉ siècle, le Québec compte de plus en plus d'industries. Le moteur à essence et l'électricité facilitent le développement de l'économie tant à la ville qu'à la campagne. Dans tous les domaines, les inventions se multiplient. Les transports et les communications s'améliorent sans cesse. À partir des années 1960, le gouvernement intervient de plus en plus dans l'économie de la province. Les gens d'affaires francophones cherchent à mettre fin au contrôle économique des anglophones.

L'industrie agricole

Durant le 20ᵉ siècle, la population **rurale** du Québec diminue considérablement. Vers 1980, plus que deux personnes sur dix habitent encore la campagne. De plus, parmi les gens qui vivent à la campagne, plusieurs travaillent à la ville. Comment peut-on pratiquer l'agriculture avec si peu de **main-d'œuvre** ?

De puissants tracteurs à essence remplacent depuis longtemps les **bêtes de trait**. Le cultivateur possède aussi d'autres machines, comme un semoir pour ensemencer les champs, une faucheuse pour couper le foin ou encore une moissonneuse-batteuse pour récolter les céréales. Il doit emprunter de l'argent pour acheter cette machinerie coûteuse. Cependant, il reçoit aussi l'aide du gouvernement.

D'autres nouveautés facilitent la vie à la ferme. À partir des années 1940, l'électricité arrive à la campagne. Les éleveurs de vaches laitières s'équipent de trayeuses électriques pour tirer le lait. Le lait est ensuite conservé au frais dans des réservoirs réfrigérés. Les cultivateurs utilisent des engrais pour enrichir le sol. D'autres se procurent des farines additionnées de médicaments pour engraisser les animaux. Enfin, ils utilisent des pesticides pour détruire les plantes et les insectes nuisibles aux récoltes.

Elle est bien loin l'époque où l'agriculteur travaillait principalement pour nourrir sa famille. La ferme est devenue une véritable industrie. Les fermiers se spécialisent dans un seul élevage ou une seule culture. Certains producteurs **maraîchers** vont vendre leurs légumes au marché. Mais la plupart des fermiers vendent leurs produits aux chaînes de supermarchés ou aux industries alimentaires comme les laiteries et les usines de transformation de la viande.

rural
De la campagne.

main-d'œuvre
Ensemble des personnes qui travaillent.

bête de trait
Animal destiné à tirer des voitures, des charrues ou d'autres machines agricoles.

maraîcher
Qui cultive des légumes pour les vendre.

Grâce à sa machinerie, un fermier gagne beaucoup de temps. Il peut produire plus (de lait, de viande, de céréales, etc.) avec moins de travailleurs.

Le temps des récoltes.

L'industrie de l'alimentation demeure la plus importante au Québec.

La transformation des principales productions de la ferme au Québec

Productions	Produits transformés
Lait	Produits laitiers, chocolat
Porc	Viande, charcuterie, plats cuisinés
Volaille	Viande, plats cuisinés
Œufs	Œufs, plats cuisinés
Bœuf	Viande, plats cuisinés
Culture maraîchère	Fruits et légumes frais, conserves, jus, confitures, desserts
Avoine	**Fourrage**, céréales
Foin	Fourrage

fourrage
Plante servant à la nourriture des animaux.

La protection des terres agricoles

Les sols fertiles n'occupent que 2 % de tout le territoire du Québec. C'est deux fois moins que dans la province voisine de l'Ontario. Or, depuis le 19ᵉ siècle, les villes ne cessent de grandir. Elles s'étendent de plus en plus sur sur de bonnes terres cultivables.

Dans les années 1970, le gouvernement québécois désire freiner l'accroissement des villes, surtout celle de Montréal. Il décide de protéger les sols **arables** à l'aide du zonage agricole. Selon ce système, certaines portions du territoire, qu'on appelle des zones agricoles, sont uniquement réservées à l'agriculture. De plus, les agriculteurs ne peuvent plus diviser et vendre leur ferme comme ils le veulent.

arable
Qui peut être labouré, cultivable.

Une zone agricole tous près de la ville.

Les ressources naturelles, moteur de l'économie

La production de **matières premières** occupe une place de choix dans l'économie du Québec. L'**exploitation** de la forêt et des minerais du sous-sol se poursuit tout au long du 20ᵉ siècle. Dans les années 1950, l'industrie forestière se modernise. Avec la scie à chaîne puis la machinerie lourde, un seul bûcheron fait maintenant le travail de plusieurs.

Le bois scié sert à la construction d'habitations et de grands projets comme des gratte-ciel, des barrages ou des aéroports. Le bois scié, la pâte de bois et les richesses minières répondent aux besoins de la population québécoise, mais surtout à ceux des États-Unis, le principal partenaire de commerce du Québec. Grâce à ses nombreuses **papetières** qui transforment la pâte de bois en papiers de toutes sortes, le Québec devient un des plus importants producteurs de papier journal et de carton au monde.

Après la Seconde Guerre mondiale, l'industrie minière est en pleine croissance au Québec. Grâce à de nouvelles techniques d'exploration et à l'avion, qui permet de survoler le territoire, les **prospecteurs** découvrent de nouveaux gisements situés plus en profondeur dans le sol. Bien sûr, on continue d'extraire des matériaux de construction comme le sable et le gravier, mais les productions les plus intéressantes sont le fer, le cuivre et l'amiante. Certaines régions du Québec, comme la Côte-Nord, connaissent alors une période de grande prospérité.

matière première
Matériau d'origine naturelle qui n'a pas encore été transformé. Les arbres avec lesquels on fabrique des planches ou le cuivre avec lequel on fabrique des fils électriques sont des matières premières.

exploitation
Action de tirer parti d'une ressource en vue de la transformer ou d'en faire le commerce. On exploite les arbres des forêts en les coupant pour en faire de la pâte de bois.

papetière
Usine où l'on fabrique du papier.

prospecteur
Personne qui explore, cherche à découvrir des minerais.

Déjà, dans les années 1960, on utilisait du papier recyclé dans la fabrication du carton.

La coupe mécanique du bois dans une scierie.

Dans les années 1940, les travailleurs dénoncent les dangers pour la santé de la poussière d'amiante. Ce n'est que vers 1980 qu'on les reconnaît.

Les régions minières du Québec vers 1980	
Régions	**Productions minières**
Côte-Nord	Fer
Abitibi	Cuivre, zinc, or
Estrie	Amiante
Gaspésie	Cuivre

« Maîtres chez nous »

Dès le 19e siècle, les premières usines au Québec sont établies par de riches hommes d'affaires britanniques ou états-uniens. Au 20e siècle, des compagnies étrangères, surtout en provenance des États-Unis, s'installent dans la province. Ces entreprises font d'énormes profits et contrôlent l'exploitation des ressources naturelles du Québec.

Dans les années 1960, le gouvernement du Québec applique la politique du « maîtres chez nous » en créant des entreprises publiques dirigées par des francophones. C'est le cas de la Société québécoise d'exploration minière qui a pour but de trouver de nouveaux **gisements** dans le sous-sol de la province. La Société d'énergie de la baie James, quant à elle, réalise des projets de construction de barrages hydroélectriques et de lignes électriques.

gisement

Couches de minerai dans le sous-sol.

ÉTATS-UNIS

QUÉBEC

Des compagnies étrangères au Québec.

En 1961, à peine une entreprise sur dix au Québec appartient à des Canadiens français! On comprend mieux pourquoi les dirigeants de la province veulent que les Québécois redeviennent maîtres chez eux.

La ville minière de Schefferville, sur la Côte-Nord, est fermée en 1982 à la suite des difficultés éprouvées par l'industrie du fer.

Publicité du Parti libéral du Québec, en 1962, montrant le slogan « Maîtres chez nous ».

Dans les années 1980, l'industrie forestière éprouve des difficultés en raison de l'épuisement de ses ressources. On coupe beaucoup d'arbres et on ne **reboise** pas assez. À la même époque, la production de minerai de fer ralentit fortement au Québec. En effet, les **pays en développement** se mettent à produire du fer qui coûte moins cher que le fer québécois.

« Maîtres chez nous », le slogan du gouvernement québécois de Jean Lesage, signifie également « Maîtres de notre hydroélectricité ». Or, depuis la fin du 19ᵉ siècle, les barrages et les compagnies qui fournissent de l'électricité n'ont pas cessé de se multiplier. Pourquoi ? Parce que les besoins de la population et des industries sont immenses. L'électricité est présente dans les maisons, à la ville comme à la campagne. Elle fait d'abord fonctionner les lampes, puis le réfrigérateur, le poste de radio, la machine à laver, la cuisinière et bien d'autres appareils.

reboiser

Planter d'arbres un terrain où les arbres ont été coupés.

pays en développement

Pays où le développement économique est moins important qu'au Canada ou aux États-Unis par exemple. On appelle aussi ces pays le tiers-monde ou le Sud, car la plupart sont situés dans l'hémisphère Sud.

hydroélectricité

Électricité produite par la force hydraulique fournie par les chutes et les cours d'eau.

Hydro-Québec existe depuis 1944, mais elle ne contrôle alors que la production d'électricité dans la région de Montréal.

Le coût de l'électricité demeure très élevé, en particulier pour les habitants des régions éloignées du Québec. Certains villages n'en ont même pas. Comment s'y prendre alors pour faire profiter toute la population de l'énergie électrique et à un coût raisonnable ? Le gouvernement du Québec entreprend de nationaliser l'électricité, c'est-à-dire prendre le contrôle de toute la production hydroélectrique de la province. Ainsi, en 1963, il confie à Hydro-Québec, une compagnie publique, les responsabilités suivantes :

– acheter toutes les compagnies privées qui produisent de l'électricité;

– assurer le transport et la distribution de l'électricité vers toutes les régions de la province;

– offrir le même tarif à tous les Québécois.

L'édifice d'Hydro-Québec, à Montréal.

Dans les années 1990, le Québec devient le troisième producteur d'hydroélectricité au monde, après les États-Unis et le Brésil.

Le barrage hydroélectrique Daniel-Johnson situé sur la Côte-Nord, nommé en l'honneur du premier ministre du Québec de 1966 à 1968.

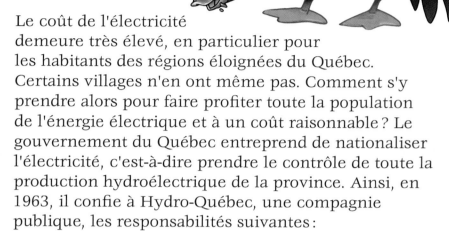

Pour répondre aux besoins grandissants, Hydro-Québec développe son **réseau** électrique. Elle construit d'immenses barrages et des **centrales** sur les puissantes rivières de la Côte-Nord, du Labrador et de la région du nord du Québec. Pour amener l'énergie électrique partout dans la province, des **ingénieurs** québécois inventent des lignes capables de transporter d'énormes quantités de courant sur plusieurs milliers de kilomètres !

réseau

Ensemble des barrages, des centrales et des fils électriques qui relient les différentes parties d'un territoire.

centrale

Usine qui produit du courant électrique.

ingénieur

Personne, ayant une formation technique ou scientifique, qui dirige des travaux.

Capturer l'or bleu

L'or bleu, c'est toute cette eau qui nous permet de produire de l'énergie électrique. Mais comment l'eau peut-elle créer de l'électricité ? Observe bien l'illustration suivante.

1° L'eau s'accumule derrière le barrage et forme un réservoir.

2° On ouvre la vanne et on laisse passer l'eau qui tombe par une chute artificielle.

3° L'eau fait tourner les pales de la turbine.

4° En tournant, la turbine produit de l'électricité.

5° L'électricité est transportée vers ta maison grâce à des lignes à haute tension supportées par des pylônes.

Les immenses réservoirs d'eau, créés par les barrages, provoquent des problèmes de taille. Ils ont un impact sur les habitants, les plantes et les animaux de toutes sortes, car ils inondent de vastes territoires.

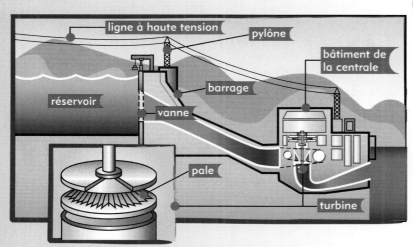

Le fonctionnement d'un barrage hydroélectrique.

Des industries et des services

Au Québec, il n'y a pas que les industries du **secteur primaire**. Il existe aussi une foule d'industries du secteur secondaire qui transforment les matières premières et les **produits semi-finis**. Parmi les industries les plus anciennes, on retrouve les boulangeries, les **distilleries**, les usines de fabrication de tissus, de vêtements et de chaussures ainsi que les imprimeries. Mais depuis les années 1950, de nouvelles industries se sont développées : le **raffinage** du pétrole, la fabrication d'appareils électriques et la construction automobile.

Dans les années 1970, le prix du pétrole augmente beaucoup. Cela entraîne plusieurs problèmes économiques, car le pétrole permet de fabriquer des produits très utiles, comme l'essence et le plastique.

Un travailleur sur une chaîne de montage.

Des raffineries dans l'est de Montréal.

L'usine quitte les abords des quais, des canaux et des chemins de fer pour s'établir près des grandes autoroutes. Ces dernières facilitent le transport par camion, un moyen plus efficace de livrer les marchandises que le train. Comme dans plusieurs domaines de l'activité humaine, à la fin du 20e siècle, les nouvelles usines sont équipées de machines **automatiques**. Ces usines emploient moins de travailleurs.

Cependant, vers 1980, le secteur le plus important de l'économie demeure le **secteur tertiaire**. Pourquoi? Parce que la population, de plus en plus nombreuse, a besoin de toutes sortes de services : distribution d'eau et d'électricité, écoles, hôpitaux, épiceries, garages, banques, magasins, restaurants, services d'incendie, etc. En fait, presque deux personnes sur trois au Québec travaillent dans ce secteur.

automatique

Une fois mise en marche, une machine automatique exécute seule les différentes opérations qu'on lui a commandées.

secteur tertiaire

Ensemble des activités économiques qui ne visent pas à produire des marchandises, mais plutôt à offrir des services à la population. On l'appelle aussi le secteur des services.

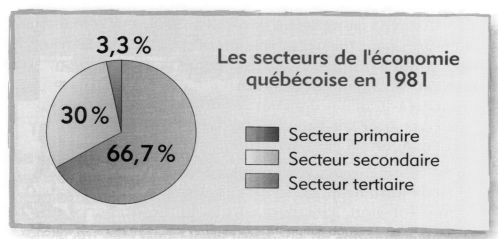

3,3 %
30 %
66,7 %

Les secteurs de l'économie québécoise en 1981

- Secteur primaire
- Secteur secondaire
- Secteur tertiaire

Imagine, en 1980, plus de trois millions de voitures ont envahi les routes du Québec.

La route mène partout

Tu te doutes bien que l'univers des transports a énormément changé au cours du 20e siècle. Au Québec, à partir des années 1930, l'usage de la voiture s'est répandu et on a construit de nombreuses routes afin de relier toutes les régions du territoire. Ainsi, en 1960, plus d'un million de véhicules automobiles circulent dans la province.

À cette époque, il devient nécessaire d'améliorer le réseau routier. Plusieurs routes sont encore en terre battue, certaines sont trop étroites, d'autres encore, dans la région de Montréal, sont toujours encombrées. Les gouvernements du Canada et du Québec commandent de grands travaux pour asphalter les routes, construire de nouveaux ponts ainsi que de larges autoroutes qui vont relier la province à toute l'Amérique du Nord.

La circulation automobile en milieu urbain.

Le transport par camion connaît alors un grand succès. Comme tu l'as déjà lu, il permet de livrer les marchandises à la porte de l'usine, de l'entrepôt ou du magasin. L'apparition du conteneur simplifie encore plus le transport des marchandises. Les conteneurs sont de grands contenants de métal que l'on réutilise. On peut y placer de grandes quantités de marchandises de formes variées. Ensuite, pour assurer la livraison de la marchandise, le conteneur est chargé sur un camion, mais il peut également être placé sur un bateau ou dans un train.

Dans les années 1950, une grande partie des vieux canaux de navigation ainsi que certaines portions du fleuve Saint-Laurent sont élargis et creusés pour former la voie maritime du Saint-Laurent [⬅ p. 65]. D'immenses navires peuvent désormais naviguer jusqu'au lac Supérieur sans s'arrêter à Montréal. Les matières premières circulent directement des ports de la Côte-Nord vers ceux des États-Unis sur les rives des Grands Lacs. Le port de Montréal perd alors une partie de ses activités.

Au 20e siècle, un nouveau moyen de transport va accélérer de façon formidable la circulation. Longtemps considéré comme un sport, l'avion est surtout utilisé par l'armée et la poste, avant les années 1950. Par la suite, la taille des avions grandit et de nouveaux appareils volent sur de plus longues distances. Les Québécois peuvent désormais se déplacer dans tout le Québec en un temps record. Mais, par-dessus tout, il est maintenant possible de voyager aux quatre coins du monde pour le travail ou, mieux encore, pour les vacances.

Le transport en commun est une façon de se déplacer qui respecte l'environnement, car un seul véhicule peut transporter beaucoup de personnes à la fois. L'autobus parcourt les rues des villes depuis 1919, alors que le métro de Montréal est entré en service en 1966.

Un bateau chargé de conteneurs.

Vie en société

À la fin du 20e siècle, les Québécoises et les Québécois vivent dans une société marquée par plusieurs changements importants. Les transformations des moyens de transport, la croissance des entreprises francophones, la forte **urbanisation** et l'amélioration de la condition des femmes en sont quelques exemples.

La famille constitue toujours la base de la société, mais change elle aussi. Les enfants sont moins nombreux qu'autrefois. Les femmes occupent une place plus grande dans le marché du travail. Dans plusieurs domaines de la société, le gouvernement remplace l'Église. Cette dernière perd petit à petit son influence auprès des familles québécoises. Un vent de changement sans égal souffle sur le Québec.

urbanisation

Concentration de la population dans les villes.

droit

Ensemble des règles de justice qui s'applique dans un pays. On étudie le droit pour devenir avocat ou avocate.

sociologie

Étude des sociétés humaines dans leur ensemble.

édition

Publication et distribution de textes imprimés comme les journaux ou les livres.

À la tête du Québec

Jean Coutu est le fondateur d'un groupe spécialisé dans la vente au détail et la distribution de produits pharmaceutiques, le plus important en Amérique du Nord.

Avec la Révolution tranquille, une nouvelle classe de dirigeants francophones s'installe à la tête du Québec. La plupart sont des spécialistes qui ont étudié à l'université l'économie, le **droit**, la **sociologie**, l'histoire, la géographie ou encore la médecine. Ces femmes et ces hommes sont parfois députés, ministres ou fonctionnaires. Mais ce sont aussi des professeurs, des comptables ou encore des journalistes qui conseillent les politiciens, expliquent les projets gouvernementaux, les critiquent ou proposent de nouvelles idées.

À partir des années 1960, le monde des affaires attire de plus en plus les francophones, qui y connaissent du succès. Ces gens d'affaires dirigent des entreprises dans des domaines aussi variés que l'**édition**, la télévision, l'alimentation, le transport, la construction d'immeubles et de machines de toutes sortes. Les gens d'affaires anglophones, quoique moins nombreux, sont toujours présents. Cependant, plusieurs d'entre eux déplacent leurs activités vers Toronto, en Ontario.

Des gens d'affaires allophones ont aussi beaucoup de succès. Située à Montréal, la fromagerie de la famille Saputo, d'origine italienne, fabrique et distribue des produits laitiers partout au Canada et aux États-Unis.

L'éducation à la portée de tous et toutes

Dans les années 1960, les dirigeants du Québec décident de rendre l'éducation accessible à tous. L'école devient gratuite de la maternelle au secondaire. Les enfants doivent étudier jusqu'à l'âge de 15 ans. On construit de vastes écoles secondaires, appelées polyvalentes, qui regroupent parfois jusqu'à 4000 élèves !

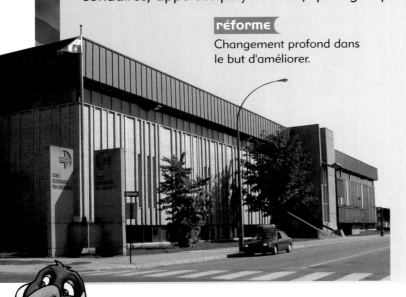

réforme
Changement profond dans le but d'améliorer.

Les **réformes** ne s'arrêtent pas là ! Un cours collégial, également gratuit, est mis sur pied. Des dizaines de collèges d'enseignement général et professionnel (cégeps) préparent les jeunes aux études universitaires ou leur enseignent un métier. Le gouvernement augmente aussi l'aide aux universités et en ouvre de nouvelles partout dans la province.

La polyvalente Père-Marquette à Montréal.

À partir des années 1960, les femmes sont de plus en plus nombreuses à travailler à l'extérieur de la maison. Leur salaire demeure moins élevé que celui des hommes, mais il leur permet d'améliorer leur condition.

La société de consommation

Après la Seconde Guerre mondiale, la société québécoise connaît une période de prospérité qui lui permet d'améliorer les conditions de vie. C'est ainsi que les Québécois entrent dans la société de consommation. La population, qui avait fait de grandes économies pendant la guerre, peut dépenser plus librement.

Les conditions de travail s'améliorent également, grâce aux luttes des **syndicats**.

syndicat
Association pour défendre les droits des travailleurs et des travailleuses.

À la ville, les commerces se multiplient rapidement. Les magasins offrent une grande variété de nouveaux produits. Certaines marchandises sont maintenant «jetables» comme les couches pour bébé ou les assiettes de carton. D'autres articles bon marché, comme les vêtements confectionnés en usine, n'ont toutefois plus la qualité des objets faits à la main. Ils s'usent ou se brisent rapidement et doivent être remplacés. De plus, la publicité pousse les gens à toujours acheter le modèle **dernier cri**.

dernier cri
Le plus récent, le plus nouveau.

Quel pourcentage de familles possède les biens suivants au Québec ?

	1972	1982
Un téléviseur couleur	21 %	69 %
Une laveuse	50 %	75 %
Une sécheuse	42 %	71 %
Un four à micro-ondes	0 %	4 %
Un climatiseur	5 %	10 %

Regarde bien le tableau. Aujourd'hui, on pourrait certainement ajouter le magnétoscope, le lecteur de disques compacts, l'ordinateur personnel et le téléphone cellulaire. Crois-tu que tous ces articles soient des objets de première nécessité ?

première nécessité

Qui répond à un besoin essentiel comme manger, boire, se vêtir, communiquer ou encore se déplacer.

ritournelle

Refrain publicitaire.

De la publicité plein la vue

L'usage de la publicité remonte à la fin du 19ᵉ siècle. À cette époque, les villes et les industries se développent à pas de géant. Les produits parcourent parfois de longues distances de l'usine à la maison du consommateur. Pour mieux rejoindre leur clientèle et faire connaître leurs produits, les commerçants publient des annonces dans les journaux et postent des catalogues destinés aux consommateurs.

Depuis les années 1950, la publicité est partout. Elle est présente dans la ville et aux abords des routes. Elle pénètre dans chaque foyer au moyen de la télévision avec ses **ritournelles** et ses slogans accrocheurs. Difficile d'échapper à la «pub»!

Un boulevard bordé de panneaux publicitaires.

Depuis les années 1980, les gouvernements fédéral et provincial réduisent les services d'aide à la population en raison de leurs coûts importants. Malheureusement, ce sont souvent les jeunes qui en souffrent. En 1996, au Canada, un enfant sur quatre vit dans la pauvreté.

allocation
Somme d'argent destinée à aider une famille.

Des gratte-ciel en construction au centre-ville de Montréal.

Des services pour tous

Déjà, depuis les années 1940, le gouvernement fédéral soutient les travailleurs et travailleuses qui ont perdu leur emploi avec un programme d'assurance-chômage. Il donne des **allocations** aux familles qui ont des enfants. Il verse aussi une pension de retraite aux personnes âgées.

Quelle est donc la place des moins fortunés dans la société québécoise à la fin du 20e siècle ? Comment s'occupe-t-on des chômeurs, des travailleurs au salaire minimum, des personnes âgées ou malades ? Le gouvernement québécois participe également à la lutte contre la pauvreté. Le programme d'aide sociale, qui existait déjà, est amélioré. Ainsi, les personnes inaptes au travail reçoivent une somme d'argent chaque mois pour survivre. De plus, en 1970, tous les soins de santé offerts chez le médecin ou à l'hôpital deviennent gratuits.

La ville s'étend

Le visage des grandes villes a beaucoup changé depuis le début du 20e siècle. Les industries y sont moins nombreuses. À partir des années 1950, on élargit les routes pour accélérer la circulation. On démolit même des quartiers entiers pour construire des autoroutes et faire place à de hauts gratte-ciel de verre et d'aluminium pour abriter d'innombrables bureaux.

La banlieue s'étend.

Ce qui frappe surtout, c'est l'étalement de la ville. La grande popularité de l'automobile et la construction de ponts et de voies rapides entraînent une large portion de la population loin du centre-ville. De nouvelles villes, appelées des banlieues, se forment ainsi autour des villes importantes. Les Québécois y trouvent des maisons **unifamiliales** à des prix accessibles, loin du bruit et de la pollution. Pour satisfaire les besoins des habitants de la banlieue, on construit des centres commerciaux qui regroupent un grand magasin, un supermarché et de nombreuses boutiques.

La construction de **duplex** demeure très populaire. Pour mieux profiter de la lumière du jour, on préfère les **jumeler** plutôt que de les construire en rangées. On bâtit aussi des immeubles d'appartements qui peuvent loger plusieurs familles.

unifamilial
Qui abrite une seule famille.

duplex
Maison qui comporte deux logements sur deux étages.

jumeler
Disposer deux par deux.

Toujours plus de loisirs

À la campagne comme à la ville, le gouvernement comprend l'importance des loisirs et du sport pour le bien-être de toute la population. Aussi, les villes et les villages sont équipés de centres sportifs, de patinoires, de parcs et de bibliothèques. Les activités offertes y sont très variées : natation, athlétisme, musique, bricolage, loisir scientifique, etc. Les personnes âgées participent aux activités qu'organisent les clubs de l'âge d'or.

Les Jeux olympiques de Montréal, en 1976, ont éveillé un grand intérêt pour les sports au Québec. Pour l'occasion, on a construit des pistes d'athlétisme, des piscines et des gymnases qui sont encore utilisés aujourd'hui.

*Le camping,
une activité populaire.*

Grâce à de meilleures conditions de travail, les Québécois peuvent profiter de ce qu'on appelle des «vacances payées». Durant leurs vacances annuelles, ils prennent la route pour visiter le Québec ou le nord-est des États-Unis. Dans les années 1980, plusieurs vacanciers s'envolent vers le Sud ou l'Europe.

Devant la télé

Au début des années 1960, presque tous les foyers du Québec possèdent un téléviseur. À l'exception du bulletin de nouvelles et de certaines émissions d'information, la plupart des émissions visent à divertir le téléspectateur. Souvent, en famille, on regarde des sports, des films, des téléromans ou des jeux télévisés.

Avec l'arrivée de la câblodistribution («le câble») dans les années 1970, les Québécois captent les chaînes de télévision des États-Unis. De plus, le magnétoscope leur permet d'enregistrer leurs émissions préférées et de regarder le film de leur choix, dans le confort de leur salon.

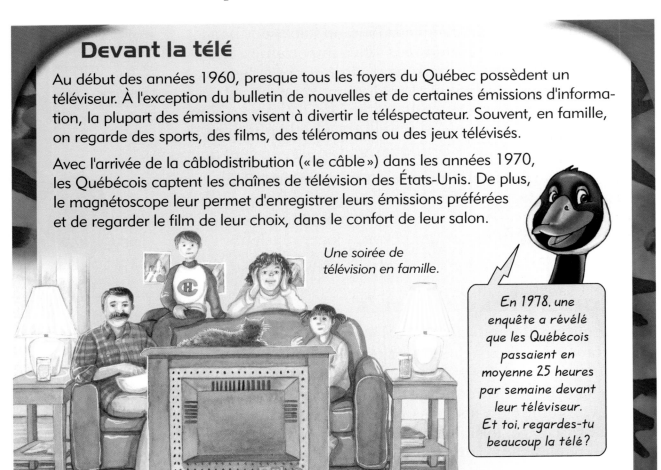

*Une soirée de
télévision en famille.*

En 1978, une enquête a révélé que les Québécois passaient en moyenne 25 heures par semaine devant leur téléviseur. Et toi, regardes-tu beaucoup la télé?

Vie culturelle

À la fin du 20ᵉ siècle, l'accessibilité à l'éducation, le travail des femmes à l'extérieur de la maison, la voiture et la publicité ont bouleversé les habitudes et les comportements de la population. La religion catholique n'occupe plus une place importante dans la société québécoise. Apprends maintenant à connaître la vie quotidienne des Québécoises et des Québécois durant cette époque pas si lointaine.

Un service de livraison à domicile.

Manger mieux ou manger vite ?

Qu'on habite la ville ou la campagne, les femmes et les hommes achètent leurs provisions à l'épicerie ou au supermarché. Grâce à l'amélioration des transports et au réfrigérateur, on peut manger des produits plus **exotiques** et plus variés qu'autrefois. La clémentine, le kiwi, la nectarine, la laitue frisée, le brocoli et les fromages français apparaissent sur les tables québécoises. En plus des mets traditionnels comme le pâté chinois ou le ragoût de pattes de porc, on aime bien cuisiner des plats aux saveurs italiennes ou chinoises.

Grâce à la publicité, les mets préparés venus des États-Unis sont très populaires. Les conserves, les repas et les aliments congelés dépannent les femmes qui n'ont plus toujours le temps de cuisiner. De plus, à partir des années 1950, les rôtisseries puis les pizzerias offrent un service de livraison à domicile.

exotique
Qui vient de pays lointains.

tailleur
Tenue féminine fait d'une veste et d'une jupe de même tissu.

synthétique
Produit artificiellement.

Des vêtements décontractés pour les loisirs.

Tous les goûts sont dans le vêtement

Vers 1980, la plupart des gens s'habillent dans les grands magasins et les boutiques spécialisées. Pour sortir ou aller au bureau, la femme met généralement une robe, une jupe ou un **tailleur**. L'homme revêt un costume et une cravate. Pour la maison ou les loisirs, les vêtements décontractés sont de mise : on enfile un jeans ou une tenue de sport. Les vêtements sont confectionnés avec des fibres naturelles comme le coton et la laine ou avec des fibres **synthétiques** comme le nylon et le polyester.

La mode a changé considérablement depuis le début du siècle. Les femmes portent maintenant le pantalon. Leurs jupes ont raccourci. Pour s'habiller au goût du jour, elles consultent les magazines féminins, souvent français et états-uniens. En réalité, la mode ne s'adresse pas seulement aux femmes. Aujourd'hui, il existe différents styles de vêtements destinés aux hommes, aux adolescents et aux enfants.

Le déclin de l'Église catholique

Comme tous les Canadiens des années 1950 et 1960, les Québécois et les Québécoises rêvent d'une société plus libre. Avec la Révolution tranquille, on ne désire plus la présence de l'Église dans tous les domaines de la société. Désormais, l'éducation, la santé, l'aide aux démunis, les syndicats et les loisirs seront organisés par des laïcs. C'est ce qu'on appelle la **laïcisation** de la société. L'Église catholique perd ainsi une grande partie de son **prestige** et de son pouvoir.

Vers 1980, la plupart des Québécois se disent catholiques, mais plusieurs ne pratiquent plus cette religion régulièrement, comme on le faisait autrefois. Résultat : les églises se vident. On y retourne seulement pour certaines cérémonies comme le baptême et le mariage. De moins en moins de Québécois veulent devenir prêtres ou membres d'une **communauté religieuse**. Pour beaucoup de gens, la religion reste une affaire personnelle.

laïcisation
Rendre indépendant du pouvoir de toute religion.

prestige
Le fait d'imposer aux autres le respect et l'admiration.

communauté religieuse
Groupe de femmes ou d'hommes qui ont choisi de vivre ensemble et de suivre les mêmes règles de vie religieuse.

L'église Saint-Jacques à Montréal a été démolie pour faire place à une université. Le clocher a été conservé.

Pour de nombreux Québécois, la fête de Noël a perdu son sens religieux. Certains disent qu'elle est devenue une véritable course aux cadeaux. D'autres pensent plutôt qu'il s'agit d'une belle occasion pour se réunir en famille et se faire plaisir. Et toi, quel est ton avis?

Des religieuses sans leur costume traditionnel.

Mascarade, un tableau peint par Alfred Pellan.

Les arts en liberté

Dès la fin des années 1940, les artistes québécois, hommes et femmes, réagissent à la **censure** imposée par l'Église catholique. À cette époque, l'Église pouvait interdire, par exemple, la publication d'un roman ou une exposition d'œuvres d'art. Or, les artistes veulent être libres de créer ce qui leur plaît. Attirés par les productions artistiques de France et des États-Unis, plusieurs quittent le Québec pour poursuivre leurs créations et stimuler leur imagination.

CENSURE

Examen des œuvres littéraires (roman, chanson, poésie, etc.) et des spectacles avant d'en permettre la diffusion.

Montréal reçoit le monde

L'année 1967, cela te dit quelque chose ? Cette année-là, Montréal reçoit plus de 60 pays à l'occasion de l'Exposition universelle, appelée aussi Expo 67. Pendant cinq mois, les Québécois ont la chance de visiter des pavillons de différents pays, d'assister à des spectacles et d'admirer des animaux provenant des quatre coins du monde.

Les artistes du Québec et d'ailleurs sont à l'honneur à travers des expositions et des festivals de peinture, de sculpture, de danse, de musique, de théâtre, de photographie et de cinéma. C'est une occasion exceptionnelle pour les visiteurs de découvrir de nouvelles cultures.

Des pavillons de différents pays durant l'Expo 67, à Montréal.

Avec les années 1960, la situation des créateurs s'améliore. Les Québécois sont plus nombreux à apprécier les livres, la musique et les **arts visuels**. En même temps, le gouvernement soutient la création d'établissements où les artistes peuvent s'exprimer, comme les bibliothèques publiques, les salles de spectacles, les galeries d'art et les musées. De plus, les artistes peuvent compter sur des **subventions** du gouvernement.

Les arts connaissent une véritable explosion. Les œuvres se multiplient et sont de plus en plus variées. Tous les styles sont permis. À part le roman, la poésie, la peinture et la sculpture, on réalise des films, on fait de la photographie, on crée des films vidéo ou on utilise l'ordinateur pour composer des images. L'art n'est plus seulement dans les musées, mais dans les places publiques ou encore dans le métro.

arts visuels

Arts comme la peinture, la sculpture, la gravure, le cinéma ou la photographie.

subvention

Aide offerte par un gouvernement à un ou à une artiste.

chansonnier

Personne qui compose et interprète des chansons en s'accompagnant simplement d'une guitare ou d'un piano.

urbaine

De la ville.

La musique est également à l'honneur grâce au disque en vinyle, à la radio, au cinéma et à la télévision. Lorsque les enfants du «baby-boom» deviennent adolescents dans les années 1960 et 1970, la musique populaire connaît un immense succès. D'abord, des **chansonniers** comme Félix Leclerc, Claude Léveillée ou Gilles Vigneault font la tournée des boîtes à chansons. Par la suite, de jeunes artistes comme Diane Dufresne ou des groupes comme Harmonium et Beau Dommage lancent un nouveau son qui parle de la réalité des jeunes et de la vie **urbaine**.

Savais-tu qu'une école des arts du cirque a été fondée à Montréal en 1981? L'École nationale du cirque a formé des amuseurs de rue et des artistes qui travaillent aujourd'hui partout dans le monde, dans des troupes comme le Cirque du Soleil ou le Cirque Éloize.

L'affiche du film La guerre des tuques.

Héritage de la Révolution tranquille

Comme tu as pu le constater, la société québécoise vers 1980, c'est un peu notre société d'aujourd'hui. La Révolution tranquille a vraiment transformé la vie politique, économique, sociale et culturelle du Québec. Néanmoins, tous les projets d'une société meilleure ne sont pas réalisés.

Pourquoi ? Parce que les difficultés économiques des années 1970 nuisent à l'amélioration du système d'éducation et des soins de santé. Les dépenses du gouvernement québécois liées aux programmes sociaux ont augmenté rapidement pour différentes raisons. Par exemple, le gouvernement a embauché plus de fonctionnaires pour s'occuper des programmes d'aide, à des salaires de plus en plus importants.

Dans les paragraphes suivants, tu verras comment les services de santé et d'éducation, secondaire et collégiale, continuent d'être offerts aux Québécoises et aux Québécois malgré les difficultés à les maintenir.

La santé toujours assurée ?

Les coûts du système de santé augmentent de façon considérable. Ce n'est pas étonnant, car les Québécois vieillissent et vivent plus longtemps. Cette situation exige plus de soins. Or les appareils modernes de même que les médicaments coûtent de plus en plus cher. Les gouvernements cherchent des moyens de réduire ces coûts, tout en tentant de préserver l'accès à des soins de santé gratuits.

Attention, les programmes offerts par le gouvernement ne sont pas gratuits. En réalité, ce sont les travailleurs et les travailleuses du Québec qui les payent grâce aux impôts qu'ils versent au gouvernement.

L'éducation publique au secondaire et au collégial

Dans les années 1960, les dirigeants du Québec veulent la démocratisation de l'éducation, c'est-à-dire qu'ils veulent une éducation gratuite de qualité pour tous les jeunes de la province. Les espoirs sont immenses.

Une manifestation d'étudiants qui s'opposent à l'augmentation des frais de scolarité à l'université.

Le programme de l'école secondaire polyvalente permet de poursuivre ses études au collégial. Il offre aussi la possibilité de compléter des études professionnelles afin d'entrer rapidement sur le marché du travail. On peut apprendre un métier comme celui d'ébéniste, d'électricien, de cuisinier ou d'esthéticienne. Cependant, tous les élèves suivent ensemble des cours communs tels que le français, les mathématiques et l'histoire.

Les élèves qui désirent devenir médecin, comptable, historien ou encore professeur doivent d'abord suivre l'enseignement général donné au cégep avant de poursuivre leurs études à l'université. De plus, les collèges publics offrent un enseignement professionnel plus spécialisé. On y forme des techniciens dans des domaines très variés : des infirmières, des éducatrices en garderie, des policiers, des dessinateurs, des comédiens, etc. Les cégeps sont ouverts aux jeunes, mais également aux adultes qui souhaitent apprendre un nouveau métier ou perfectionner leurs connaissances.

N'est-ce pas qu'elle était riche en changements cette période de l'histoire du Québec ! Tu as pu voir comment la société québécoise s'est adaptée à toutes sortes de nouveautés liées à la politique, à l'économie et à la culture par exemple. C'est maintenant à toi de vivre et de proposer des changements pour la société québécoise de demain.

Les sociétés inuite et micmaque vers 1980

1975 Signature de la convention de la Baie-James et du Nord québécois

1982 Entente entre les gouvernements et les Micmacs de Listuguj sur la gestion de la pêche au saumon

1998 Ouverture de la mine Raglan, près de Salluit, au Nunavik

1970

1980

1990

1978 Création d'Air Inuit, la compagnie d'aviation du Nunavik

Ouverture du site d'interprétation de Gespeg **1997**

orsque les pêcheurs européens atteignent les côtes de l'Amérique du Nord, au 16ᵉ siècle, ils découvrent que ce territoire est déjà habité. De nombreuses nations amérindiennes sont établies dans l'est du Canada. Les Inuits, différents des Amérindiens par leur culture, leurs traditions et leur mode de vie, habitent au nord de cet immense territoire.

Au fil des siècles, les relations avec les Européens ont modifié les comportements et les coutumes des Amérindiens et des Inuits, qui ne vivent plus tout à fait comme leurs ancêtres. De nos jours, dix nations amérindiennes et une nation inuite habitent le territoire du Québec. Dans les pages qui suivent, tu verras comment vivent les Inuits et les Micmacs, à la fin du 20ᵉ siècle.

Territoire et population

Les Inuits et les Micmacs occupent des régions très éloignées l'une de l'autre. Le territoire inuit est situé dans l'extrême nord de la province alors que les Micmacs vivent au sud-est, dans la **péninsule** gaspésienne. Le relief, le climat, la **faune** et la végétation de ces territoires constituent des milieux de vie bien différents. Tous ces éléments ont contribué à déterminer les modes de vie des Inuits et des Micmacs, et continuent d'exercer une influence sur leur façon de vivre actuelle.

péninsule
Large bande de terre entourée par la mer de tous les côtés, sauf un.

faune
Ensemble des animaux d'une région.

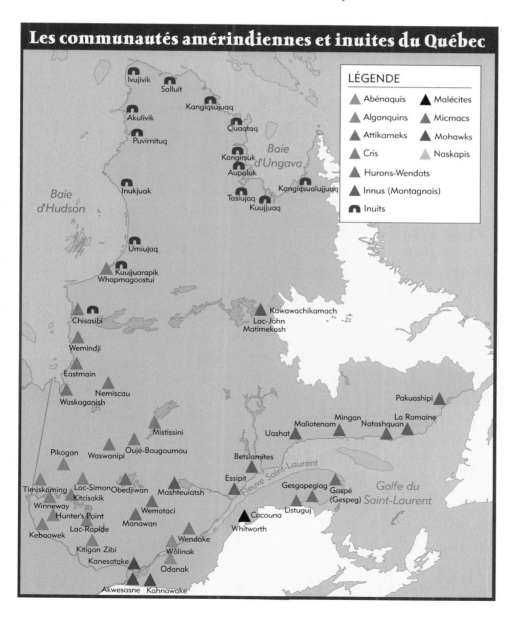

Les communautés amérindiennes et inuites du Québec

LÉGENDE
- Abénaquis
- Algonquins
- Attikameks
- Cris
- Hurons-Wendats
- Innus (Montagnais)
- Inuits
- Malécites
- Micmacs
- Mohawks
- Naskapis

Ivujivik
Salluit
Kangiqsujuaq
Akulivik
Quaqtaq
Puvirnituq
Baie d'Ungava
Kangirsuk
Aupaluk
Inukjuak
Kangiqsualujjuaq
Tasiujaq
Kuujjuaq
Baie d'Hudson
Umiujaq
Kuujjuarapik
Whapmagoostui
Kawawachikamach
Chisasibi
Lac-John
Matimekosh
Wemindji
Eastmain
Nemiscau
Waskaganish
Pakuashipi
Mistissini
Mingan
La Romaine
Maliotenam
Natashquan
Uashat
Pikogan
Waswanipi
Oujé-Bougoumou
Betsiamites
Essipit
Fleuve Saint-Laurent
Golfe du Saint-Laurent
Timiskaming
Lac-Simon
Obedjiwan
Mashteuiatsh
Gesgapegiag
Gaspé (Gespeg)
Kitcisakik
Winneway
Hunter's Point
Wemotaci
Manawan
Cacouna
Listuguj
Kebaowek
Lac-Rapide
Whitworth
Kitigan Zibi
Wendake
Kanesatake
Wôlinak
Odanak
Akwesasne
Kahnawake

Les Inuits, le peuple du Nord

Les Inuits donnent le nom de Nunavik au territoire qu'ils habitent dans le nord du Québec. C'est un immense territoire, bordé par la baie d'Hudson, le **détroit** d'Hudson et la baie d'Ungava. Il est entièrement situé sur le plateau du Bouclier canadien [← p. IV]. Le sol y est rocailleux et peu favorable à l'agriculture.

Le Nunavik est situé dans une zone **arctique**. Le climat y est froid et rigoureux. Au sud de ce territoire, on retrouve quelques forêts **clairsemées** d'épinettes noires, de mélèzes et de pins gris. C'est la taïga. Si on se déplace vers le nord, les arbres et arbustes se font de plus en plus rares et finissent par disparaître complètement. C'est la toundra, très pauvre en arbres, mais riche de plusieurs petites plantes et petits fruits comestibles.

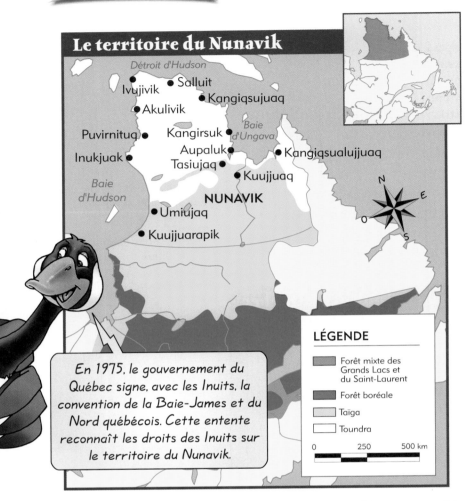

Le territoire du Nunavik

Détroit d'Hudson
Ivujivik • Salluit
• Kangiqsujuaq
Akulivik
Puvirnituq • Kangirsuk
Baie d'Ungava
Aupaluk
Inukjuak Tasiujaq • Kangiqsualujjuaq
• Kuujjuaq
Baie d'Hudson
NUNAVIK
• Umiujaq
• Kuujjuarapik

N S E O

En 1975, le gouvernement du Québec signe, avec les Inuits, la convention de la Baie-James et du Nord québécois. Cette entente reconnaît les droits des Inuits sur le territoire du Nunavik.

LÉGENDE

Forêt mixte des Grands Lacs et du Saint-Laurent

Forêt boréale

Taïga

Toundra

0   250   500 km

détroit
Passage maritime entre deux terres rapprochées.

arctique
Près du pôle Nord.

clairsemé
Peu dense.

carnivore
Qui se nourrit de viande.

herbivore
Qui se nourrit de plantes.

Le territoire du Nunavik, malgré son climat arctique, abrite une grande variété d'animaux. On y trouve même le plus gros **carnivore** terrestre, l'ours blanc ou ours polaire, et un des plus gros **herbivores**, le bœuf musqué. De nombreux poissons et mammifères marins vivent également dans les lacs, les rivières et les eaux côtières du Nunavik. Regarde le tableau de la page suivante pour en savoir davantage.

Un paysage de toundra.

Du lichen.

Les animaux du Nunavik			
Mammifères terrestres	**Mammifères marins**	**Oiseaux**	**Poissons**
bœuf musqué	béluga	bernache du Canada	corégone
caribou	morse	faucon pèlerin	omble de l'Arctique
lièvre arctique	phoque	grande oie blanche	saumon
ours polaire		harfang des neiges	touladi
renard arctique		lagopède	

Les Inuits étaient autrefois un peuple nomade. Leur lieu de résidence variait selon les saisons et les chasses. Ce n'est qu'au début des années 1950 qu'ils adoptent peu à peu un mode de vie sédentaire en s'établissant de façon permanente dans des villages. Il y a aujourd'hui 14 villages au Nunavik, tous très éloignés les uns des autres, parfois de plusieurs centaines de kilomètres.

Un ours polaire.

L'ours blanc peut peser jusqu'à 800 kilos. C'est presque le poids d'une petite voiture!

Les inukshuks

Un inukshuk.

Les inukshuks sont de grands assemblages de pierres aux formes très variées. Chacune de ces constructions est unique et porte un nom différent. Là où il n'y a ni arbre ni relief, les inukshuks sont nombreux. Ils servent à indiquer un emplacement dangereux, qu'il vaut mieux éviter, ou encore un lieu de pêche et de chasse exceptionnel. Ils servent aussi d'instruments de navigation en pointant, par exemple, la direction de la terre pour les pêcheurs qui s'aventurent sur l'eau. Parfois, ils indiquent tout simplement le chemin vers le village, mais ils peuvent aussi servir de cachettes pour la nourriture. Les inukshuks sont des **points de repère** importants. Sans eux, plusieurs personnes pourraient se perdre dans le **blizzard**.

point de repère
Objet qui permet de retrouver son chemin.

blizzard
Vent glacial qui souffle très fort pendant une tempête de neige.

Les nations algonquiennes vers 1500

Baie d'Ungava

Baie d'Hudson

NASKAPIS

INNUS

BÉOTHUKS

CRIS

Fleuve Saint-Laurent

MICMACS

OJIBWÉS

ATTIKAMEKS

MALÉCITES

ALGONQUINS

ABÉNAQUIS

NIPISSINGS

Lac Supérieur

Lac Huron

OCÉAN ATLANTIQUE

Lac Ontario

Lac Michigan

Lac Érié

OUTAOUAIS

0   250   500 km

Les Micmacs font partie de la grande famille algonquienne.

Les Micmacs, le peuple de la mer

Comme les Inuits, les Micmacs étaient autrefois des nomades. Ils se déplaçaient selon les saisons et les chasses sur un grand territoire qui englobait la péninsule gaspésienne, l'Île-du-Prince-Édouard, la Nouvelle-Écosse et le Nouveau-Brunswick. La mer a toujours occupé une place importante dans la vie des Micmacs. Cela explique qu'on leur donne parfois le nom de «peuple de la mer».

L'arrivée des colons européens, qui ont peu à peu pris possession du territoire, a modifié le mode de vie des Micmacs. Aujourd'hui, ils vivent sur des terres qui leur ont été distribuées par le gouvernement fédéral et qu'on appelle des **réserves**. Ces réserves ne représentent qu'une très petite partie de leur ancien territoire.

Les trois communautés micmaques du Québec, Gespeg, Gesgapegiag et Listuguj, sont situées dans la péninsule gaspésienne. Les Micmacs de Gesgapegiag et de Listuguj vivent dans des réserves, mais ceux de Gespeg ne possèdent pas de territoire spécifique. Ils habitent à Gaspé et dans les villes voisines.

réserve

Territoire réservé aux communautés amérindiennes.

La pointe de la Gaspésie qui s'avance dans la mer.

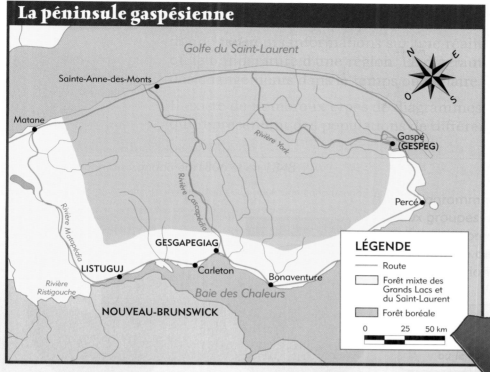

La péninsule gaspésienne

Golfe du Saint-Laurent

Sainte-Anne-des-Monts

Matane

Rivière York

Rivière Cascapédia

Rivière Matapédia

Gaspé
(GESPEG)

Percé

GESGAPEGIAG

LISTUGUJ

Carleton

Bonaventure

Rivière
Ristigouche

Baie des Chaleurs

NOUVEAU-BRUNSWICK

LÉGENDE

— Route

Forêt mixte des Grands Lacs et du Saint-Laurent

Forêt boréale

0   25   50 km

Savais-tu que le nom Gaspé vient du nom micmac Gespeg, qui signifie « la fin du territoire »?

La péninsule gaspésienne possède de nombreuses ressources naturelles. La forêt boréale, avec ses épinettes blanches et noires, domine le territoire, mais sur le long de la côte, on retrouve la forêt mixte de conifères et de feuillus. C'est une région qui abrite une grande variété d'animaux, de fruits sauvages et de plantes. La mer et les nombreuses rivières offrent également plusieurs espèces de poissons et **crustacés**.

crustacé
Petit animal de mer qui possède une carapace.

Les animaux de la péninsule gaspésienne

Mammifères	Oiseaux	Poissons	Crustacés
castor	bernache du Canada	anguille	crabe
cerf de Virginie	canard	éperlan	crevette
orignal	gélinotte huppée	saumon	homard
rat musqué		truite	

Une crevette.

Une truite.

Une gélinotte huppée.

Un orignal.

Un cerf de Virginie.

Des richesses à protéger

Depuis quelques années déjà, les Micmacs de Listuguj et de Gesgapegiag savent bien que les ressources de la péninsule gaspésienne, telles que le saumon et la forêt, doivent être protégées.

Depuis les années 1980, les Micmacs ne pêchent plus le saumon pendant tout l'été afin de lui permettre de se reproduire. En 1996, les Micmacs de Listuguj ont reçu un prix pour leur excellent travail de protection du saumon.

Les Inuits aussi veulent s'assurer qu'il y aura toujours des animaux à chasser au Nunavik. Ils ne chassent pas pendant les périodes de naissances et ne tuent que les animaux nécessaires pour nourrir les habitants du village. Un comité contrôle la chasse et la pêche de certaines espèces qui ont besoin d'être protégées.

Des climats variés

climatique

Qui se rapporte au climat.

Les Inuits et les Micmacs vivent dans des régions aux conditions **climatiques** bien différentes. Au Nunavik, on retrouve un climat arctique. L'hiver est très froid, très long et plutôt sec, tandis que l'été est frais et très court. L'absence d'arbres sur le territoire favorise les vents forts qui soufflent toute l'année. La péninsule gaspésienne, quant à elle, jouit d'un climat continental humide. L'hiver y est froid et plutôt long alors que l'été est chaud, humide et plutôt court. Il pleut régulièrement et il neige aussi beaucoup.

Regarde bien les climatogrammes suivants. Tu pourras constater les différences de température entre le nord et le sud-est du Québec.

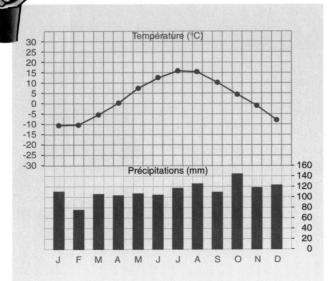

Climatogramme de Percé

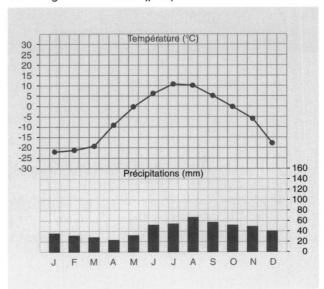

Climatogramme de Kuujjuaq

Des populations en pleine croissance

Bien que le Nunavik soit un vaste territoire, il demeure peu peuplé. Au début des années 1980, un peu moins de 5000 Inuits vivent dans les villages du Nunavik. Le village le plus peuplé, celui de Kuujjuaq, compte environ 900 habitants. Mais la population du Nunavik croît rapidement.

En 1981, il y a environ 2000 Micmacs au Québec. La communauté de Listuguj est de loin la plus nombreuse avec 1500 habitants. Regarde bien les courbes de population. Tu verras que la population micmaque augmente, elle aussi, rapidement.

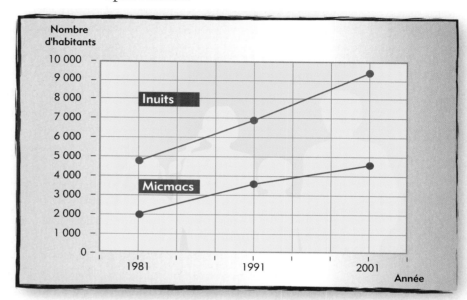

De nombreux Micmacs parlent leur langue maternelle, le micmac, mais la plupart parlent surtout le français ou l'anglais. À Listuguj ainsi qu'à Gesgapegiag, on enseigne le micmac à l'école afin de permettre à tous les jeunes d'apprendre les **rudiments** de cette langue. La langue maternelle des Inuits est l'inuktitut. On l'enseigne pendant les trois premières années du primaire. La langue seconde demeure l'anglais, mais de plus en plus de jeunes Inuits apprennent aussi le français.

rudiment

Notion de base.

Activités économiques

Autrefois, les Micmacs et les Inuits vivaient uniquement de chasse, de pêche et de cueillette. Ils ne comptaient que sur les ressources de la nature. De nos jours, leurs activités économiques sont plus diversifiées. Les activités traditionnelles de chasse et de pêche occupent encore une place importante dans ces communautés, mais plusieurs personnes travaillent désormais dans les industries et les commerces.

Métiers et loisirs

Pour les Micmacs et les Inuits, la pêche, la chasse et la cueillette de petits fruits et de plantes sauvages ne sont pas seulement des loisirs. Ce sont des **activités de subsistance**.

activité de subsistance

Activité qui permet de se nourrir.

quotidien

Qui se produit chaque jour.

La pêche

Les Micmacs sont des experts en pêche au saumon, mais ils pêchent aussi la truite, l'anguille et l'éperlan. Vers l'âge de 13 ans, les jeunes Micmacs accompagnent leur père en bateau afin d'apprendre comment pêcher le saumon. Leur tâche consiste à surveiller les filets de pêche, pas à les installer, car c'est trop dangereux. Depuis juin 2000, les Micmacs de Listuguj ont obtenu du gouvernement le droit de pêcher le crabe, le homard et la crevette.

Au Nunavik, la pêche est une activité **quotidienne**, pratiquée par tous. Ce sont les femmes et les enfants qui pêchent le plus souvent, mais à l'automne et en hiver, ce sont les hommes qui vont à la pêche au filet sous la glace. Ces expéditions sont très dures, car il faut travailler malgré le froid. On creuse des trous dans la glace épaisse, on installe de longs filets entre ces trous et on attend. L'omble de l'Arctique, le poisson préféré des Inuits, s'y trouve en abondance. Les Inuits partent parfois pendant cinq jours pour ramener du poisson au village.

Un pêcheur micmac.

Les Inuits apprennent à pêcher très jeunes, parfois dès l'âge de six ans.

Les Inuits pratiquent la pêche au filet sous la glace.

La chasse

La chasse est très importante pour les Inuits. Le **gibier**, terrestre et marin, est la plus importante source de nourriture pour les habitants du Nunavik. À certains moments de la saison, quand les troupeaux de caribous s'approchent des villages, par exemple, tous les hommes participent à la chasse. Mais certains hommes chassent toute l'année, en suivant les déplacements des différents animaux, et rapportent de la nourriture pour tout le village. Selon les saisons, on chasse le phoque, le béluga, le caribou, le lièvre arctique et les oiseaux migrateurs comme l'oie blanche et la bernache du Canada.

La chasse n'occupe plus une place aussi importante chez les Micmacs, mais plusieurs aiment encore chasser l'orignal et la gélinotte huppée. De nos jours, ils utilisent une carabine pour tuer le gibier. La **trappe** a été abandonnée, mais il reste encore quelques trappeurs à Listuguj pour capturer, à l'occasion, des castors et des rats musqués.

La cueillette

La cueillette est une activité **estivale** appréciée de tous, mais surtout des enfants. Les jeunes Inuits raffolent des baies de busserole. Dès le mois de mai, les Micmacs croquent les crosses de fougères puis, de la fin juin à la fin août, ils se régalent de fraises, de framboises et de bleuets.

Art et artisanat

La sculpture sur stéatite, aussi appelée «pierre à savon», est la principale activité artistique des Inuits depuis les années 1950. La stéatite du Nunavik est une pierre lourde mais assez molle. Elle est pleine de surprises: quand on la taille et la polit, on découvre qu'elle peut prendre plusieurs couleurs de vert, de gris et de noir. Dans cette pierre, les artistes inuits sculptent des personnages de pêcheurs, de chasseurs, de femmes et d'enfants. Ils aiment aussi représenter les ours, les phoques, les poissons et les oiseaux. La sculpture inuite a une grande renommée dans le monde entier. C'est une activité économique qui rapporte beaucoup d'argent à l'ensemble de la communauté.

Une chasse au phoque.

gibier
Ensemble des animaux qui peuvent être chassés.

trappe
Chasse à l'aide de pièges.

estival
Qui a rapport à l'été.

Les baies de busserole sont aussi appelées «raisins d'ours», car c'est un des fruits préférés de l'ours.

Baies de busserole.

Les Inuits sculptent aussi le bois de caribou et l'ivoire de morse.

Un ours sculpté dans la stéatite, communément appelée «pierre à savon».

La vente des produits d'artisanat représente également une source de revenus importante pour les communautés micmaques de Gesgapegiag, de Gespeg et de Listuguj. Les paniers traditionnels, faits de lanières de bois ou de foin d'odeur, sont très populaires. On compte également des poupées, des sculptures de bois, des vêtements et des mocassins faits selon les techniques anciennes.

Un artisan micmac au travail.

Industries et services

De nos jours, plusieurs Inuits et Micmacs trouvent du travail dans les grandes industries régionales. De plus en plus de Micmacs de Gesgapegiag et de Listuguj, par exemple, occupent un emploi dans la **foresterie**, un important secteur économique de la péninsule gaspésienne.

Un certain nombre d'Inuits travaillent dans l'industrie minière, un secteur en pleine croissance au Nunavik. La mine d'**amiante** de Purtuniq, près du village de Salluit, a été en exploitation de 1972 à 1983. Depuis 1998, plusieurs Inuits travaillent à la mine de Raglan, située elle aussi près de Salluit. Cette mine renferme du **cuivre** et du **nickel**.

Depuis quelques années, le tourisme est devenu une activité économique très profitable pour les Inuits et les Micmacs. Différents services ont été développés dans ces communautés pour répondre aux besoins des voyageurs. Le transport aérien, l'hébergement et la restauration ne sont que quelques-uns des services offerts aux touristes.

foresterie
Ensemble des activités économiques qui touchent la forêt.

amiante
Minerai utilisé pour fabriquer des matériaux qui résistent à la chaleur.

cuivre
Métal rougeâtre servant à fabriquer des fils électriques.

nickel
Métal d'un blanc argenté, très résistant.

Vie sociale et culturelle

Aujourd'hui, grâce aux nouvelles technologies, tu as accès à une foule de renseignements qui t'influencent un peu plus chaque jour. Il en va de même pour les nations micmaque et inuite. Tu verras comment leur vie sociale et culturelle s'adapte à cette réalité au fil des ans.

igloo
Habitation inuite faite de blocs de neige.

wigwam
Tente utilisée par les Amérindiens.

Différents mais aussi semblables

Le mode de vie des Inuits et des Micmacs a beaucoup changé depuis qu'ils se sont installés dans des villages et des réserves. Au début des années 1980, il y a longtemps qu'ils ne vivent plus dans des **igloos** ou des **wigwams**, mais habitent des maisons modernes.

Le village inuit de Kangirsuk.

Inuits et Micmacs possèdent tous les moyens de communication modernes comme le téléphone, la radio et la télévision. Ils ont délaissé le canot d'écorce ou le kayak au profit du bateau à moteur. Au Nunavik, les motoneiges et les véhicules tout-terrains ont remplacé les traîneaux à chiens. Ils possèdent même, depuis 1978, une compagnie d'aviation, Air Inuit.

Dans leur vie de tous les jours, les Micmacs et les Inuits ne portent plus de costumes traditionnels. Comme toi, ils aiment porter des vêtements à la mode.

Les vêtements d'extérieur que portent les Inuits doivent être beaucoup plus chauds que ceux portés dans le Sud. C'est pourquoi ils ressemblent encore aux vêtements traditionnels. Les *nassaks*, par exemple, ces chapeaux que portent les Inuits, sont crochetés très serrés pour que le vent ne les traverse pas. Les Inuits préfèrent également les mitaines (*pualuks*) faites de cuir de caribou, de peau de mouton et bordé de fourrure de lapin.

Des Inuits habillés pour l'hiver.

Le village micmac de Listuguj.

Des enfants inuits jouant au bord de l'eau.

Pendant les plus chaudes journées d'été, les enfants aiment bien se baigner dans les lacs et les rivières du Nunavik. Mais il faut être courageux, car l'eau demeure très froide.

convertir

Amener une personne à changer de croyances.

Sports et divertissements

Les Inuits pratiquent leurs sports favoris dans les centres sportifs, les gymnases ou les salles communautaires du village. Le hockey-cossom et le volley-ball sont parmi les sports les plus populaires.

L'hiver, quand il ne fait pas trop froid, les enfants sortent dehors pour s'amuser dans la neige, faire du ski de fond ou encore patiner. L'été, ils font de la bicyclette et jouent au ballon chasseur.

Le sport préféré des Micmacs, jeunes et moins jeunes, est le baseball. Pendant les beaux mois d'été, les enfants passent beaucoup de temps à se construire des maisons dans les arbres. Ils aiment bien aussi faire du vélo ou du patin à roues alignées. L'hiver, le ski de fond et la raquette demeurent très populaires.

Fêtes et cérémonies

Les nations inuite et micmaque, comme toutes les communautés du monde entier, se réunissent pour participer à différentes fêtes et cérémonies. Les réjouissances s'accompagnent parfois de musique, de danse et de mets délicieux, dans le respect des traditions.

Noël et Pâques au Nunavik

Les Inuits ont été **convertis** au christianisme au début du 19e siècle. Ils ont peu à peu adopté les fêtes chrétiennes comme Noël et Pâques, qui sont aujourd'hui très populaires au Nunavik. Les festivités se prolongent souvent plus d'une semaine et des invités viennent de tous les villages. Pendant ces longs congés, les Inuits préparent une grande variété de plats. Au menu : caribou, oie bouillie, omble de l'Arctique congelé et saumon cru.

Les Inuits profitent aussi de ces réunions familiales pour chanter, danser et s'amuser.

Le chant de gorge

Le *katajjak*, c'est le très beau chant de gorge des femmes inuites. C'est un jeu qu'elles ont inventé pour se divertir lorsque leurs maris partaient à la chasse. Les participantes se mettent deux par deux et face à face. Elles doivent, chacune à leur tour, reproduire des sons inspirés de la nature. Ce chant de gorge est très difficile à réussir. Il demande un très bon souffle. Cette petite compétition amicale se termine généralement par des éclats de rire. Les chants du vent ou de la rivière sont des *katajjaks* très populaires.

> Le katajjak *préféré des jeunes Inuits est celui des nageoires de phoque en train de cuire !*

Femmes inuites chantant le katajjak.

La fête de sainte Anne

Chaque année, à la fin du mois de juillet, les Micmacs se réunissent pour célébrer la fête de sainte Anne et rappeler le baptême du grand chef Membertou, converti à la religion catholique en 1610. À Listuguj, cette fête attire de nombreuses personnes. Au programme : de la musique, des chants et des danses. La journée se termine généralement par un immense banquet préparé par les membres de la communauté.

> *Sainte Anne est la patronne, la protectrice, de la nation micmaque. Selon une légende, elle serait apparue aux Micmacs qui se rendaient à l'église pour lui rendre hommage.*

L'arrivée du printemps

L'arrivée du printemps marque le retour des jours plus longs. Pour les Inuits, c'est l'occasion de se réunir et de fêter, de raconter de vieilles légendes et de danser au son du violon et des tambours.

Un joueur de tambour inuit.

Dès la fonte des neiges, c'est le grand ménage des villages qui commence. Pendant deux ou trois jours, tous travaillent fort pour ramasser papiers et objets divers qui sont restés enfouis sous la neige pendant l'hiver. Après ce dur travail, tout le monde se rend sur la plage pour danser, manger et participer à différents jeux. La fête dure très longtemps parce qu'il fait beau et que le soleil se couche très tard.

Le *pow-wow*

châle

Grande pièce de tissu léger, portée sur les épaules.

Au mois d'août de chaque année, des *pow-wow* sont organisés à Gesgapegiag et à Listuguj. Ces grandes fêtes rassemblent parfois plus de mille personnes! Des gens de tous les coins du Québec viennent célébrer avec les Micmacs.

La fête commence par la procession des aînés qui avancent lentement, pour bien faire voir leurs parures traditionnelles. Puis les joueurs de tambours et les danseuses de **châle** donnent un merveilleux spectacle, très apprécié du public. Un grand feu est allumé et des « gardiens du feu » sont chargés de le surveiller pendant toute la durée de la fête. Jeunes et moins jeunes aiment s'habiller, pour l'occasion, de vêtements traditionnels brodés et ornés de rubans et de perles. Certains portent même les chapeaux pointus typiques des Micmacs.

Une danseuse de châle micmaque.

Tu viens de survoler une page importante de l'histoire de deux peuples fascinants : les Inuits et les Micmacs du Québec. Ces derniers occupaient jadis de larges territoires, bien avant l'arrivée des Européens. Tu as été témoin de leurs coutumes et de leur savoir-faire toujours vivants au cœur du territoire québécois.

Des sociétés non démocratiques vers 1980

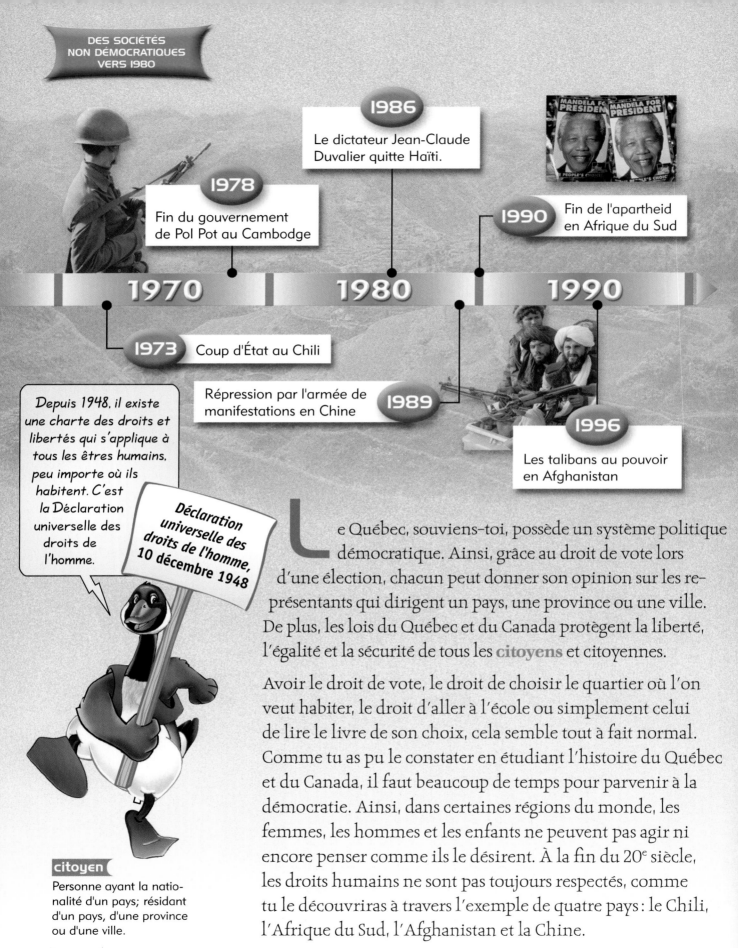

1986
Le dictateur Jean-Claude Duvalier quitte Haïti.

1978
Fin du gouvernement de Pol Pot au Cambodge

1990
Fin de l'apartheid en Afrique du Sud

1970   1980   1990

1973 Coup d'État au Chili

Répression par l'armée de manifestations en Chine **1989**

1996
Les talibans au pouvoir en Afghanistan

Depuis 1948, il existe une charte des droits et libertés qui s'applique à tous les êtres humains, peu importe où ils habitent. C'est la Déclaration universelle des droits de l'homme.

Déclaration universelle des droits de l'homme, 10 décembre 1948

e Québec, souviens-toi, possède un système politique démocratique. Ainsi, grâce au droit de vote lors d'une élection, chacun peut donner son opinion sur les représentants qui dirigent un pays, une province ou une ville. De plus, les lois du Québec et du Canada protègent la liberté, l'égalité et la sécurité de tous les **citoyens** et citoyennes.

Avoir le droit de vote, le droit de choisir le quartier où l'on veut habiter, le droit d'aller à l'école ou simplement celui de lire le livre de son choix, cela semble tout à fait normal. Comme tu as pu le constater en étudiant l'histoire du Québec et du Canada, il faut beaucoup de temps pour parvenir à la démocratie. Ainsi, dans certaines régions du monde, les femmes, les hommes et les enfants ne peuvent pas agir ni encore penser comme ils le désirent. À la fin du 20ᵉ siècle, les droits humains ne sont pas toujours respectés, comme tu le découvriras à travers l'exemple de quatre pays : le Chili, l'Afrique du Sud, l'Afghanistan et la Chine.

citoyen
Personne ayant la nationalité d'un pays; résidant d'un pays, d'une province ou d'une ville.

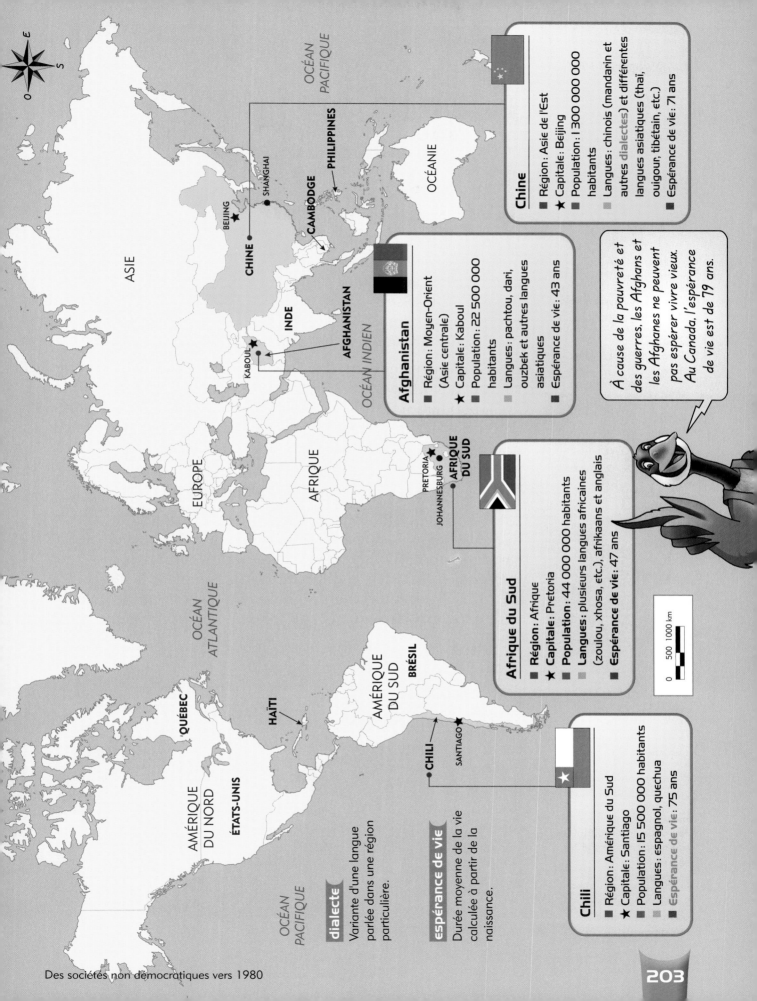

ASIE

OCÉAN PACIFIQUE

OCÉANIE

CHINE
BEIJING
SHANGHAI

PHILIPPINES

CAMBODGE

INDE

AFGHANISTAN
KABOUL

OCÉAN INDIEN

EUROPE

AFRIQUE

PRETORIA
JOHANNESBURG
AFRIQUE DU SUD

OCÉAN ATLANTIQUE

AMÉRIQUE DU SUD
BRÉSIL

HAÏTI

CHILI
SANTIAGO

QUÉBEC

AMÉRIQUE DU NORD
ÉTATS-UNIS

OCÉAN PACIFIQUE

Chine
- Région : Asie de l'Est
- ★ Capitale : Beijing
- Population : 1 300 000 000 habitants
- Langues : chinois (mandarin et autres dialectes) et différentes langues asiatiques (thaï, ouigour, tibétain, etc.)
- Espérance de vie : 71 ans

À cause de la pauvreté et des guerres, les Afghans et les Afghanes ne peuvent pas espérer vivre vieux. Au Canada, l'espérance de vie est de 79 ans.

Afghanistan
- Région : Moyen-Orient (Asie centrale)
- ★ Capitale : Kaboul
- Population : 22 500 000 habitants
- Langues : pachtou, dari, ouzbek et autres langues asiatiques
- Espérance de vie : 43 ans

Afrique du Sud
- Région : Afrique
- ★ Capitale : Pretoria
- Population : 44 000 000 habitants
- Langues : plusieurs langues africaines (zoulou, xhosa, etc.), afrikaans et anglais
- Espérance de vie : 47 ans

0 500 1000 km

Chili
- Région : Amérique du Sud
- ★ Capitale : Santiago
- Population : 15 500 000 habitants
- Langues : espagnol, quechua
- Espérance de vie : 75 ans

dialecte
Variante d'une langue parlée dans une région particulière.

espérance de vie
Durée moyenne de la vie calculée à partir de la naissance.

Des sociétés non démocratiques vers 1980

203

Le Chili

Le Chili est situé sur la côte de l'océan Pacifique, au sud-ouest de l'Amérique du Sud.

Vivre sur une étroite bande de terre

Le territoire du Chili s'étire sur plus de 4000 kilomètres, mais sa largeur est en moyenne de 200 kilomètres. C'est un pays montagneux au climat **tempéré**. Il est isolé, au nord, par un haut plateau désertique et, à l'est, par l'immense **cordillère** des Andes. Au centre du Chili, on trouve une longue plaine fertile traversée d'est en ouest par de nombreux cours d'eau.

Les Chiliens vivent surtout dans le centre du pays. C'est là que se trouve Santiago, la capitale du pays. La plus grande portion de la population est formée de Métis, des personnes qui ont à la fois des origines amérindienne et européenne. Il existe aussi une petite minorité d'Amérindiens qui parle le quechua.

Exploiter le sol et le sous-sol

L'économie du Chili dépend d'une grande variété d'activités liées aux ressources naturelles du territoire. Les sols fertiles du centre permettent de cultiver des céréales comme le blé et le maïs, des olives, des légumes et de la **vigne** pour la fabrication du vin. Les fermiers chiliens pratiquent aussi l'élevage de **bovins** et de moutons ainsi que la culture de plantes **fourragères**.

Le sous-sol du nord du Chili est riche en minerais tels que le cuivre et le fer. Une grande partie de ses ressources est exportée vers les États-Unis. Les forêts fournissent du bois servant à la construction et à la production de papier. Comme la mer longe tout le territoire, la pêche et la mise en conserve du poisson sont aussi des activités économiques importantes.

tempéré
Se dit d'un climat ni très froid ni très chaud.

cordillère
Chaîne de montagnes allongée.

Un paysage de la cordillère des Andes.

vigne
Plante grimpante cultivée pour ses grappes de raisin.

bovins
Animaux comprenant les bœufs, les vaches et les veaux.

fourragère
Se dit d'une plante servant de nourriture aux animaux.

Santiago, la capitale du Chili.

Coup dur pour la vie politique

Au début des années 1970, le système politique du Chili est une démocratie semblable à celle du Québec. Le pays est alors dirigé par le président Salvador Allende. Son gouvernement lance de grandes **réformes** dans les domaines de l'agriculture et des mines. Ainsi, on retire aux riches propriétaires **terriens** leurs vastes fermes que l'on divise en plus petits terrains pour ensuite les redistribuer à des milliers de cultivateurs démunis. Le gouvernement du Chili prend aussi le contrôle des mines de cuivre qui appartiennent en grande partie à des compagnies états-uniennes.

Cependant, les réformes du gouvernement Allende soulèvent de nombreuses oppositions. Des **grèves** et des **manifestations** éclatent partout dans le pays. Ces réformes déplaisent également aux militaires qui font partie du gouvernement. Le 11 septembre 1973, l'armée chilienne attaque le palais du président et prend le pouvoir par la force. C'est ce qu'on appelle un coup d'État militaire.

réforme
Changement profond dans le but d'améliorer.

terrien
Qui possède des terres.

grève
Arrêt de travail décidé par les travailleurs et les travailleuses.

manifestation
Rassemblement, défilé de personnes organisé dans un lieu public (rue, place, etc.) pour exprimer une demande ou une opinion politique.

Les dictateurs

Dans les années 1970, de nombreux chefs politiques gouvernent leur pays selon leurs intérêts, sans tenir compte des besoins de la population. Plusieurs sont des militaires soutenus par l'armée, comme le général Médici au Brésil ou Pol Pot au Cambodge. D'autres sont des chefs élus qui ne veulent plus quitter le pouvoir, comme Jean-Claude Duvalier en Haïti ou Ferdinand Marcos aux Philippines.

Les dictateurs comptent souvent sur les services d'une force de police spéciale qui fait respecter l'ordre dans un climat de peur. Cette force, parfois secrète, est aussi chargée de poursuivre et d'assassiner les adversaires du dictateur.

Au centre, un tonton macoute («bonhomme bâton» en langue créole), membre de la force de police spéciale du président Duvalier.

Un soldat chilien surveille des prisonniers politiques rassemblés dans le stade de Santiago.

Déclaration des droits

« Nul ne sera soumis à la torture, ni à des peines de prison ou des traitements cruels ou inhumains. »

Parlement

Assemblée (ou plusieurs assemblées) élue par le peuple, qui étudie et vote les lois dans un pays démocratique.

parti

En politique, groupe de personnes qui partagent des opinions semblables et qui se réunissent pour se faire élire et former le gouvernement d'un pays.

constitution

Loi (ou ensemble de règles) qui établit l'organisation politique d'un pays ainsi que les droits et les devoirs de ses habitants. C'est un peu le « code de vie » d'un pays.

affluent

Cours d'eau qui se jette dans un autre.

tropical

Se dit d'un climat chaud où il y a peu de variations de température entre les saisons.

L'armée, dirigée par le général Augusto Pinochet, gouverne le pays. La démocratie est renversée pour faire place à la dictature. Le **Parlement** n'existe plus. Les **partis** politiques sont interdits. La **constitution** ne s'applique plus. Les droits et libertés de l'individu ne sont plus respectés. Une dure période commence pour les Chiliens qui s'opposent au général Pinochet et à ses militaires. Des milliers de personnes sont arrêtées, torturées, emprisonnées ou tuées. En tout, de 5000 à 6000 personnes disparaissent. Terrorisés, près d'un million de Chiliens choisissent de fuir leur pays.

Il faudra attendre la fin des années 1980 pour que la démocratie revienne et que les Chiliens retrouvent leurs droits et libertés.

L'Afrique du Sud

L'Afrique du Sud est située à la pointe sud du continent africain, là où l'océan Atlantique et l'océan Indien se rencontrent.

Vivre tout au bout de l'Afrique

Les paysages de l'Afrique du sud sont très variés. Une grande partie du territoire est occupée par un vaste plateau traversé par le long fleuve Orange et ses **affluents**. Le nord du pays est bordé par le désert de Kalahari. Une plaine étroite longe toute la côte sur près de 3000 kilomètres. Le climat est généralement **tropical** malgré des hivers frais sur les hauteurs du plateau. Dans ce pays où l'eau est rare, c'est la côte est qui reçoit le plus de pluie.

Qui sont les habitants de ce magnifique pays du bout du monde ? La majorité de la population d'Afrique du Sud se compose de différents peuples noirs africains. La minorité blanche regroupe les Afrikaners, descendants de colons venus des Pays-Bas au 17e siècle, et les anglophones, d'origine britannique. Cette minorité vit surtout dans les villes. Les Métis, d'origine à la fois européenne, africaine ou asiatique, habitent dans le sud-ouest du pays. Enfin, les Sud-Africains d'origine indienne vivent surtout sur la côte est.

3 % **11 %** **18 %** **68 %**

- Noirs
- Blancs
- Métis
- Indiens

La composition de la population en Afrique du Sud.

Un pays riche

L'Afrique du Sud est la principale puissance économique du continent africain grâce aux richesses de son sous-sol. On y trouve d'importantes réserves de charbon et de minerais très recherchés comme l'or et le diamant. L'activité minière a entraîné le développement d'industries qui produisent la machinerie et les appareils nécessaires à l'exploitation des mines, regroupées dans de grandes villes comme Johannesburg.

Sur les terres fertiles de la côte et de l'est, les Sud-Africains cultivent le blé, le maïs, la vigne, des fruits variés, l'arachide, le tournesol et la canne à sucre. À l'ouest, on pratique surtout l'élevage de bovins, de moutons et d'autruches. Dans ce pays bordé par deux océans, la pêche est également une activité très importante.

Soweto, une banlieue noire de Johannesburg, ne profite pas de la richesse de la grande ville.

La ville de Johannesburg.

La politique de l'inégalité

raciste

Qui appuie le racisme, basé sur l'idée que certaines communautés sont supérieures à d'autres, en raison, par exemple, de leur couleur ou de leur langue.

ségrégation

Action de séparer les personnes de couleur, d'origine ou de religion différentes à l'intérieur d'un même pays.

boycotter

Cesser volontairement d'avoir des relations, surtout commerciales, avec un pays en signe de protestation.

Déclaration des droits

«Toute personne a le droit de circuler librement et de choisir sa résidence à l'intérieur de son pays.»

Vers 1980, malgré toutes ses richesses humaines et économiques, la société d'Afrique du Sud demeure très injuste. La minorité blanche possède la plupart des ressources du pays. Elle contrôle aussi le gouvernement, l'armée et la police. Depuis 1948, le gouvernement adopte des lois **racistes** qui retirent des droits et des libertés aux personnes de couleur, particulièrement aux Noirs. Ces dernières sont obligées de vivre dans des zones imposées par la loi. Elles ne peuvent pas se marier avec des Blancs, ni exercer le métier de leur choix. Les Blancs possèdent leurs propres écoles, leurs hôpitaux, leurs autobus, leurs cinémas et même leurs toilettes publiques, tous interdits aux populations de couleur. Cette politique de **ségrégation** raciale porte le nom d'apartheid, un mot de la langue afrikaans qui signifie «séparation».

La population noire n'a pas le droit de vote ni celui de former des partis politiques. Elle ne peut donc pas changer le gouvernement lors des élections. La lutte s'organise autrement. Des révoltes armées et des grèves éclatent de plus en plus souvent. Des millions de personnes sont jetées en prison. Dans les années 1980, de nombreux pays se mettent à dénoncer l'apartheid en cessant de commercer avec l'Afrique du Sud. Par exemple, ils **boycottent** les vins et les fruits d'Afrique du Sud ainsi que les rencontres sportives avec les athlètes de ce pays.

Vers 1980, près de 80% du territoire de l'Afrique du Sud est réservé aux Blancs. Jette un coup d'œil sur le diagramme de la population à la page précédente. Qu'en penses-tu?

Cet écriteau marque la limite entre une plage «blanche» et celle des personnes de couleur.

Au début des années 1990, la situation s'améliore. Les lois de l'apartheid sont supprimées. Dorénavant, les Noirs participent activement à la vie politique de leur pays. Nelson Mandela, un chef noir qui a passé 27 ans en prison pour avoir lutté pour la démocratie, est libéré. Le 27 avril 1994, il devient le premier président noir élu de façon démocratique.

Toute la population participe aux premières élections démocratiques en 1994.

La situation aux États-Unis

Aux États-Unis, les Noirs subissent toutes sortes d'inégalités. Jusqu'aux années 1960, on les empêche de voter. On leur réserve les moins bons sièges au cinéma et dans l'autobus. On n'hésite pas à battre ceux et celles qui protestent. Les choses ont changé, mais les inégalités économiques demeurent : dans les années 1990, le salaire moyen d'un Blanc est dix fois plus élevé que celui d'un Noir.

L'Afghanistan

L'Afghanistan est un pays d'Asie centrale. Montagneux et **aride**, il ne possède aucun accès à la mer.

aride
Qui reçoit peu de pluie, qui est sec.

Vivre au cœur de l'Asie

Le territoire de l'Afghanistan est traversé par les hautes chaînes de montagnes de l'Hindu Kuch qui s'élèvent au nord-est jusqu'à 7000 mètres. On y trouve des vallées **irriguées** par de grandes rivières. Les montagnes sont bordées, au nord, par une plaine fertile, et au sud-ouest, par un désert. Le climat afghan est continental avec un hiver très rude et un été brûlant. Les faibles précipitations tombent surtout au printemps, sauf dans la partie est où quelques pluies d'été font pousser de belles forêts de thuyas.

irrigué
Arrosé artificiellement en détournant l'eau d'une rivière.

guerre civile

Conflit entre les citoyens d'un même pays.

communiste

Personne qui appuie le communisme, un système politique basé sur un parti unique qui dirige la vie économique. Le communisme rejette la propriété privée et les religions.

islam

Religion musulmane enseignée par Mahomet dès le 7ᵉ siècle et basée sur un livre sacré intitulé le *Coran*. Les musulmans croient en un seul Dieu appelé Allah.

islamiste

Qui cherche à imposer de façon autoritaire le respect des règles de l'islam.

La population de l'Afghanistan vit principalement dans les vallées de l'Hindu Kuch et dans la plaine du Nord. Elle regroupe une vingtaine de peuples dont aucun ne forme la majorité. La minorité la plus nombreuse est constituée par les Pachtouns qui habitent l'est et le sud du pays. Les Tadjiks, au nord-est, et les Ouzbeks, au nord, sont parmi les autres groupes importants.

Un pays pauvre

L'Afghanistan est l'un des pays les plus pauvres d'Asie. La plupart des Afghans pratiquent une agriculture de subsistance, c'est-à-dire qu'ils font pousser juste ce dont ils ont besoin pour vivre. Le blé est la base de leur alimentation, mais ils cultivent également des fruits et du coton. Ils élèvent des moutons, des chèvres, des bovins et des dromadaires. L'élevage et la culture du coton permettent de produire des tissus, des tapis de laine et du cuir. Les villes afghanes ne sont pas très développées. Seul un Afghan sur cinq y habite. Il y a peu de routes pour relier les différentes régions du pays.

La religion au pouvoir

À partir des années 1970, le pays est déchiré par une interminable **guerre civile**. Le conflit oppose deux groupes principaux. D'un côté, il y a le gouvernement des **communistes** qui ont pris le pouvoir par la violence. De l'autre se trouvent les moudjahidins. Ces combattants désirent mettre en place un gouvernement religieux qui fera respecter de façon autoritaire les règles de l'**islam**. Chaque groupe reçoit l'aide militaire et financière de pays étrangers.

Des combattants moudjahidins.

En 1992, les moudjahidins s'emparent du pouvoir par la force. Cependant, ils n'arrivent pas à rétablir la paix. Ils sont à leur tour chassés par les talibans, un autre groupe religieux armé. L'Afghanistan est ruiné par les combats. Les chefs **islamistes** gouvernent le pays. La seule loi qui règle la vie des Afghans est la loi musulmane. Les soldats la font respecter par la terreur. La télévision, le cinéma, la musique et la plupart des sports sont interdits.

Mais ce sont les droits et les libertés des femmes qui sont les plus durement touchés. Elles ne peuvent plus travailler, ni sortir seules, ni se faire soigner à l'hôpital, ni aller à l'école après l'âge de neuf ans. Celles qui n'obéissent pas sont cruellement punies.

En 2001, les États-Unis et leurs alliés européens chassent le gouvernement des talibans. Mais la paix demeure toujours fragile et la condition des femmes ne s'est guère améliorée.

Les femmes doivent se vêtir de la tête aux pieds d'un voile épais, la burka.

Déclaration des droits

« Toute personne a droit à la vie, à la liberté et à la sécurité de sa personne. »

Le destin des filles

Dans plusieurs pays, les filles ne sont pas traitées comme les garçons. Pourquoi donc ? Selon les croyances religieuses, en Inde ou en Chine, par exemple, seul le fils peut accomplir certaines cérémonies comme les funérailles de ses parents. De plus, lors de leur mariage, les filles quittent leur famille pour aller vivre dans celle de leur époux. Ainsi, les filles sont souvent moins bien nourries, moins éduquées que leurs frères et travaillent plus tôt. Il arrive même que l'on abandonne les nouveau-nés de sexe féminin.

En Inde, cela n'a pas empêché les femmes d'occuper des postes importants. Indira Gandhi a été première ministre du pays pendant une quinzaine d'années entre 1966 et 1984.

Indira Gandhi.

bassin

Grande région creuse entourée de montagnes.

répression

Le fait d'arrêter une révolte par la violence; punition.

Savais-tu qu'un être humain sur cinq est un Chinois? Depuis les années 1970, le gouvernement chinois tente de limiter les naissances à un seul enfant par couple, surtout à la ville.

La Chine

La Chine possède un immense territoire aux multiples paysages.

Vivre dans un des plus grands pays du monde

Le nord de la Chine, aride, est formé de **bassins** et de plateaux plutôt désertiques. À l'ouest, le vaste plateau du Tibet, haut de 5000 mètres, connaît un climat très rude. Il est bordé tout au sud par la plus imposante chaîne de montagnes de la planète, l'Himalaya. Le centre est occupé par des plateaux moins élevés. À l'est, de grandes plaines fertiles s'étirent jusqu'à la mer. Ces terres sont traversées par des rivières et des fleuves puissants, comme le Changjiang. Les températures sont plus douces dans cette partie du pays. Au nord-est, le climat est tempéré alors qu'au sud-est, la région est tropicale et arrosée de pluies abondantes.

La Chine est le pays le plus peuplé de la Terre. Le peuple han forme plus de 90 % de la population. Les Han sont établis dans la moitié est du pays, là où se trouvent les grandes villes comme Beijing et Shanghai. Il existe aussi une cinquantaine de peuples qui occupent principalement les régions de l'ouest et du nord. Ces minorités ont leur propre langue, leur religion et leurs coutumes.

Cependant, les minorités et leurs différences ne sont pas toujours respectées. Certains peuples, comme les Tibétains, luttent pour leur indépendance, mais la **répression** est sévère. Depuis les années 1950, des milliers de personnes ont été arrêtées, torturées ou tuées. Des habitations traditionnelles et des bâtiments religieux ont été détruits. Le gouvernement a même envoyé des Han s'établir au Tibet pour que ce dernier devienne une province chinoise.

Un Mongol.

Une femme min.

Une mère han et son enfant.

Une femme tibétaine et son bébé.

La Chine pauvre et la Chine riche

Les deux tiers des Chinois vivent en milieu rural. Sur les terres rocailleuses des plateaux, on pratique l'élevage de bovins, de chevaux, de moutons et de chèvres. Dans les plaines de l'est, on cultive surtout le blé et le riz ainsi que les fèves de soja, le thé, le coton, des légumes et des fruits. La plupart des fermes élèvent aussi des porcs. Les paysans chinois sont généralement pauvres et possèdent peu de machinerie.

Depuis les années 1980, l'industrie chinoise se développe à pas de géant. Pourquoi? Parce que la Chine permet aux compagnies étrangères de s'établir chez elle. Les gens d'affaires apprécient les travailleurs chinois parce qu'ils sont nombreux et que leur salaire est moins élevé qu'en Amérique du Nord ou en Europe. La Chine fournit aussi les **matières premières** comme le charbon, le pétrole, le fer ou le coton. La croissance industrielle profite surtout aux régions de la côte qui s'enrichissent rapidement.

Une rue commerciale de Shanghai.

> Nourrir plus d'un milliard de personnes, c'est tout un défi!

matière première
Matériau d'origine naturelle qui n'a pas encore été transformé, comme le pétrole avec lequel on fabrique du plastique.

régime
Façon de gouverner un pays.

La démocratie étouffée

Les Chinois vivent sous un **régime** communiste. C'est un système autoritaire où seul le Parti communiste, avec l'aide de l'armée, contrôle tout le pays. Les dirigeants chinois ne tolèrent pas ceux et celles qui s'opposent à leurs décisions. Le gouvernement dirige toute la vie économique : il décide des prix des marchandises et il possède les terres agricoles ainsi que les industries. Depuis les années 1980, une réforme économique permet aux Chinois de posséder leur terre ou leur entreprise. Elle ouvre aussi le pays aux gens d'affaires étrangers.

Déclaration des droits
«Tout individu a le droit d'exprimer librement son opinion.»

Un étudiant chinois manifeste en faveur de la démocratie sous le regard des militaires.

Depuis les années 1950, des dizaines de millions de personnes ont été emprisonnées en Chine en raison de leurs idées politiques. Souvent torturés, ces femmes et ces hommes sont forcés de travailler dans des conditions pénibles.

La population chinoise souhaite aussi une réforme de la vie politique. Au printemps 1989, des centaines de milliers d'individus manifestent sans violence dans la capitale et dans les grandes villes du pays. On réclame plus de droits et plus de libertés. L'armée est envoyée pour contrôler les foules. Au fil des jours, le mouvement devient de plus en plus important. Il regroupe de nombreux étudiants, des ouvriers, des journalistes et des gens d'affaires. Finalement, le 4 juin, l'armée tire sur les manifestants. Elle fait des centaines de victimes ainsi que des milliers de blessés et de prisonniers. Les rêves d'une démocratie en Chine se sont envolés.

La *Déclaration universelle des droits et libertés* n'est pas toujours appliquée dans les pays dits non démocratiques. Jusqu'à ce jour, des populations des quatre coins du monde luttent avec courage pour obtenir de meilleures conditions de vie. À quand la démocratie pour toutes et tous ? C'est une histoire à suivre...

INDEX DES SUJETS

	La conquête britannique de la Nouvelle-France	La société canadienne vers 1820	La société québécoise vers 1905	La société canadienne des Prairies vers 1905	La société canadienne de la Côte Ouest vers 1905	La société québécoise vers 1980	Les sociétés inuite et micmaque vers 1980	Des sociétés non démocratiques vers 1980
A								
Agriculture	17, 20	34-38, 43	83-84	118-120	139-140	163-164		204, 207, 210, 213
Alimentation		36-38, 56-57, 60	83-84, 100-101		138, 140	164, 179	194-195, 198	
Arts et artisanat		61-62	104-106			181-182	195-196	
C								
Chasse et pêche	17-18	40-41	84	115, 118	135, 138		192-195	204, 207
Climat		27	72	113, 120	130, 132	149	192	204, 206, 209, 212
Consommation		40, 45, 57	87, 101-102			173-175		
D								
Démocratie	16-17	31-33, 63	80-82			159-162		202, 206, 208-211, 213-214
E								
Éducation		50	96			174, 183-184		
Enfants		35-37, 50	88, 96-97			153, 174, 176, 183-184	193-195	211
Élevage		35-37	83-84	119-121	140	163		204, 207, 210, 213
F								
Famille		50	95	115		173, 176, 178		
Faune et flore		24-26	72	112, 114	129-132	148	188-189, 191	
Fêtes et cérémonies		59-61	103-104			180	198-200	
G								
Guerres et conflits	3-5	33-34, 42	80	116		155, 158		205-206, 208, 210-212, 214
H								
Habillement		58-59	102			179-180	197, 200	
Habitation		53-55	97-98	118		177	197	
I								
Immigration	11-12, 16	28-30	74-76	116-117	134-135, 144	154		
Industries		42-46, 64	84-91	122-124, 126	136-139, 141-142	163-171	196	204, 207, 213